Historia de Costa Rica

HISTORIA DE

COSTA RICA

BREVE, ACTUALIZADA Y CON ILUSTRACIONES

SEGUNDA EDICIÓN REVISADA

Iván Molina
Steven Palmer

EDITORIAL
UCR
2015

972.86
M722h2   Molina Jiménez, Iván, 1961-
            Historia de Costa Rica : breve, actualizada y con ilustraciones
            / Iván Molina, Steven Palmer. – 2.ª ed. rev., 5.ª reimpr. – [San José],
            C. R. : Edit. UCR, 2015.
            x, 222 p. : il., mapas

            ISBN 978-9968-46-024-8

            1. COSTA RICA – HISTORIA. I. Palmer, Steven Paul,
            1961- , coautor. II. Título.

            CIP/2828
            CC/SIBDI.UCR

Edición aprobada por la Comisión Editorial de la Universidad de Costa Rica

Segunda edición: 2007
Quinta reimpresión: 2015

La EUCR es miembro del Sistema de Editoriales Universitarias de Centroamérica (SEDUCA), perteneciente al Consejo
Superior Universitario Centroamericano (CSUCA).

Diseño de portada: *Boris Valverde G.*
Diagramación: *Iván Molina.*

Impreso bajo demanda en la Sección de Impresión del SIEDIN. Fecha de aparición, junio 2015.
Universidad de Costa Rica • Ciudad Universitaria Rodrigo Facio • IG 413

CONTENIDO

PRÓLOGO

DE PASEO AL PASADO

El propósito de este libro es ofrecer a los lectores nacionales y extranjeros una visión sintética y actualizada de la historia de Costa Rica, de los tiempos antiguos, cuando el bosque tropical ocultaba el paso fugaz de los primeros cazadores, al presente, cada vez más urbanizado y complejo. El texto enfatiza en la descripción y el análisis de los principales procesos y eventos históricos, de la domesticación de las plantas, entre los años 4000 y 1000 antes de Cristo, a la guerra civil de 1948, y del capitalismo agrario del siglo XIX, basado en el café y el banano, a la expansión turística de la década de 1990.

La presente obra se diferencia de otras similares porque no está escrita como un manual escolar, aunque podría ser utilizada con ese objetivo;

Viajeros.

En enero [de 1915], era tiempo de dejar San José y partir a Nicaragua... Cuando miro atrás, sin embargo, pienso que mi estadía en Costa Rica fue, en algunos aspectos, la parte más placentera de mi experiencia centroamericana, aunque no la más interesante. No hubo otro país donde sintiera que estaba participando tan plenamente en la vida social de la comunidad, ni donde encontrara gente más atractiva y amistosa.

Dana Gardner Munro, académico y diplomático estadounidense, 1983.

tampoco tiene el carácter publicitario de los folletos turísticos, que aspiran a divulgar las maravillas de Costa Rica. El fin básico de este pequeño libro es bastante distinto: convidar a conocer, en sus aspectos esenciales, un país que desafía muchos de los estereotipos asociados con América Latina. La invitación es, en cierto modo, parecida a la que extienden todos los días las agencias de viaje, pero en este caso la expedición no es a un volcán, a una playa o a una isla, sino al pasado.

Las personas que se sumen a este *tour* irán de safari con los cazadores prehistóricos, compartirán el quehacer cotidiano de las sociedades cacicales del siglo XVI, asistirán a la conquista española, pasearán por las veredas del mundo colonial, disfrutarán de la expansión del café a partir de 1830 y cuestionarán el precio a que se alcanzó el auge bananero después de 1880.

El *tour* incluye presenciar la configuración de la nación costarricense y el ascenso de la democracia política, participar en protestas campesinas, artesanas y obreras, experimentar la crisis de 1930 y el conflicto de 1948, visitar las ruinas del sueño socialdemócrata (1950-1978) y gozar de una tarde de compras en los malls de la Costa Rica neoliberal y posmoderna a inicios del siglo XXI.

Por favor, abrochen sus cinturones —se espera alguna turbulencia— y disfruten el viaje.

CAPÍTULO 1

TRAS LOS PASOS DE LOS CAZADORES (12000 A. C.- 1500 D. C.)

El continente americano empezó a ser ocupado por cazadores especializados al parecer unos 40000 años atrás. Los emigrantes, procedentes de Asia, cruzaron el Estrecho de Bering y ocuparon el noroeste de América; después, y poco a poco, bajaron hacia el sur. La vida cotidiana de esas bandas, pequeñas, nómadas y de tipo familiar, se basaba en diversas formas de apropiación: caza, pesca en ríos, lagos y mares, y recolección. La producción de alimentos era una actividad que desconocían y la división del trabajo difícilmente superaba los criterios de edad y sexo.

La ocupación del actual territorio de Costa Rica se verificó quizá entre los 12000 y los 8000 años antes de Cristo. El quehacer diario de estos

Puntas de proyectil, Turrialba, 12000-8000 a. C.

Raspadores, Turrialba, 12000-8000 a. C.

tempranos pobladores transcurría en un paisaje dominado por el bosque tropical, y entre la fauna de que disponían figuraban animales posteriormente extintos: mastodontes, perezosos gigantes, caballos y camélidos. Los utensilios que poseían los fabricaban de piedra –en especial de sílice–, de madera, de piel y de hueso, y estaban en función de la caza: diversas puntas de proyectil, martillos, raspadores, cuchillos, buriles y otros por el estilo.

El período que se extiende entre los años 8000 y 4000 antes de Cristo, se distinguió por dos procesos básicos: una tendencia a la sedentarización y el inicio de la domesticación accidental de los alimentos. Los asentamientos en un mismo sitio, compuestos por un creciente número de personas, tendieron a prolongarse más, al tiempo que, en el curso de las actividades de recolección, se abrió un espacio para una utilización ampliada de los productos vegetales. La explotación silvestre de diverso tipo de recursos fue el eje de una experiencia que permitió seleccionar, poco a poco, cierto tipo de plantas y animales para consumo humano.

El tránsito a la producción agrícola fue un proceso paulatino, que se extendió entre los años 4000 y 1000 antes de Cristo. El carácter ístmico colocó a Costa Rica en una posición privilegiada para asimilar la domesticación de raíces (yuca, camote), que distinguió a

las áreas tropicales de América del
Sur, y de maíz y frijol, típica de las
zonas semiáridas de México. La influencia de esas tradiciones fue geográficamente diversa: en la vertiente
del Caribe, predominó el cultivo de
tubérculos; en contraste, los granos
prevalecieron en el Valle Central y en
el Pacífico norte.

Caza de tortuga.

La domesticación supuso, a su
vez, cambios en los instrumentos de
trabajo: a la par de las piedras de mo-
ler y de romper nueces, y de otros
utensilios empleados para procesar los
vegetales, se empezaron a fabricar objetos para explotar mejor el bosque
tropical, como hachas, hachuelas y cu-
ñas. El uso de un variado conjunto de
productos orgánicos (madera, dientes,
concha y bambú) también se intensificó;
simultáneamente, la alfarería, vinculada
con la preparación y el depósito de los
alimentos, alcanzaba una elaboración

superior. La forma típica de las vasijas era el tecomate, un tazón con boca estrecha.

La época que se ubica entre los años 1000 antes de Cristo y 800 después de su nacimiento, fue escenario de cambios decisivos. El principal fue la consolidación de la agricultura, que avanzó a costa de las actividades típicamente apropiadoras (caza, pesca y recolección). La siembra de raíces, en especial de yuca, destacó al principio y se vinculó con la elaboración de artefactos más especializados, por ejemplo los budares: platones de cerámica empleados para cocinar ese alimento. El cultivo del maíz, originalmente una práctica agrícola entre otras, se expandió con éxito en el último medio milenio anterior a la era cristiana.

El avance en la producción de alimentos, a la vez que permitía el crecimiento de la población, estimulaba el sedentarismo, base indispensable de un conocimiento superior alcanzado gracias a la observación diaria de la flora y la fauna en vías de domesticación. La permanencia en un lugar fijo fomentó la diversificación de una artesanía que, a la par de los utensilios de trabajo, empezó a ofrecer objetos de otro tipo: collares, metates, cerámica de distintos colores y ocarinas. La sedentarización, sin embargo, exigía disponer de un territorio más amplio, con el fin de rotar los cultivos para enfrenar el agotamiento del suelo.

Figura sobre un metate (utilizado para preparar alimentos), Pacífico norte, 500-800 d. C.

La organización social y política, en el contexto de tales cambios productivos, varió significativamente. Lo básico fue el paso de la banda apropiadora, pequeña y consagrada a la caza, la pesca y la recolección, a la tribu, demográficamente de más peso, especializada en la agricultura y con un entramado físico esencial. La aldea, en efecto, superaba el umbral de las familias que la componían y, al subdividirse a raíz del crecimiento de la población, originaba otras unidades aldeanas, que se unían usualmente en confederaciones. Los vínculos de parentesco fueron el eje de este complejo y pausado proceso.

El trasfondo igualitario de las primeras aldeas desapareció al profundizarse la división del trabajo. El excedente agrícola, aparte de propiciar el alza demográfica, estimuló diversas especializaciones: entre otras, las de organizar la distribución de lo producido y la defensa del territorio, sin olvidar las funciones vinculadas con el culto a los muertos y con las actividades religiosas. La diferenciación social, en curso durante los primeros 500 años después de Cristo, cristalizó en una jerarquía encabezada por la figura del cacique, y en el predominio de los asentamientos que concentraban el poder y la riqueza.

Figura de un chamán, vertiente atlántica, 500-1000 d. C.

La vinculación entre aldeas de desigual tamaño e importancia, que ocupaban un espacio determinado, fue la base de los cacicazgos y del comercio, incluido el de larga distancia. Los pobladores del Caribe y del Pacífico sur se insertaron en el circuito mercantil de sus vecinos de Panamá, Colombia y Ecuador; en Nicoya, el influjo mesoamericano (México y el resto de Centroamérica) fue más fuerte; y en el Valle

Embarcación.

Central se experimentó la irradiación económica y cultural de ambos polos. La contribución de las comunidades asentadas en Costa Rica a esas amplias redes de intercambio fue en extremo limitada y se componía de artículos perecederos: sal, cacao, plumas de quetzal y tinte del caracol múrice.

La tradición mesoamericana perdió fuerza entre los años 500 y 800 después de Cristo, un debilitamiento que fue aprovechado por las culturas del sur para ampliar su influencia en todo el territorio costarricense. El quehacer artesanal fue partícipe de tal cambio. El trabajo del jade, que seguía los modelos mayas, fue desplazado por el de los metales, especialmente en oro y tumbaga; y en las figuras elaboradas es visible un estilo similar al que prevalecía en Panamá y Colombia. La evidencia disponible, aunque fragmentaria, confirma el enorme peso que tenía en Costa Rica la civilización chibchense.

Las comunidades del sur costarricense elaboraron unas extraordinarias esculturas cuyo significado y función constituyen todavía un enigma para

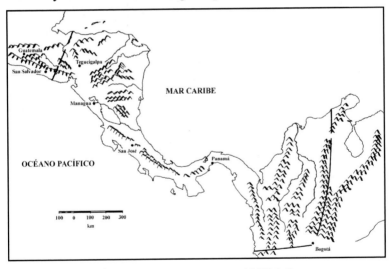

Área de influencia chibcha, cerca del 800 d. C.

los investigadores e inducen a comparaciones con los monolitos de Stonehenge y las cabezas gigantes de la Isla de Pascua: esferas de piedra. La redondez casi perfecta de tales objetos y su variable altura (de unos pocos centímetros a más de un metro) y peso (entre algunos kilos y varias toneladas) fundamentan la opinión de que eran utilizadas para indicar la jerarquía y establecer límites territoriales, sin descartar vínculos con la religión, la astronomía y el ciclo agrícola.

Esfera de piedra en el Museo Nacional, Pacífico sur, 1-500 d. C.

El sistema de cacicazgos floreció en los siete siglos anteriores a la conquista española (entre los años 800 y 1550 después de Cristo). La base de su esplendor fue una producción más intensiva de granos y raíces, que combinaba el uso de abonos naturales y el

riego con la tala y quema del bosque
para preparar los campos de cultivo. El
quehacer agrícola era complementado
con la caza, la pesca y la recolección,
en especial de cera y miel de abejas,
sal y frutas. La artesanía se diversificó
todavía más, un proceso estimulado
por el crecimiento de los asentamientos principales, que contaban con
acueductos, calzadas, puentes, casas,
templos y empalizadas para la defensa.

Comunidad indígena.

La organización cacical profundizó la diferenciación social, al suponer
la consolidación de una nobleza militar y religiosa, debajo de la cual se
ubicaban los trabajadores corrientes y
los esclavos, usualmente prisioneros

capturados en los conflictos tribales. Los vínculos de parentesco y el principio de reciprocidad (canje equitativo de bienes entre iguales) fueron insuficientes para impedir que, desde la cúspide de la jerarquía, guerreros y chamanes explotaran a sus inferiores sociales. Los explotadores, al regular la vida cotidiana, definieron a su favor la distribución de la riqueza, el poder y el conocimiento, un modelo de dominación que alcanzó su madurez en el siglo XVI, cuando las sociedades indígenas debieron enfrentar un enemigo completamente desconocido.

Guerrero con cabeza y hacha, vertiente atlántica, 500-1000 d. C.

CAPÍTULO 2

CACICAZGOS Y SEÑORÍOS (1500-1570)

El sur y el oriente de Centroamérica, en vísperas de la conquista española, eran el asiento de sociedades dispersas y diversas, fragmentadas en lo político y poco complejas en lo tecnológico y en lo social. El perfil precedente contrastaba con el de las más conocidas poblaciones mayas ubicadas en el norte del istmo.

Las civilizaciones asentadas en los altiplanos de Guatemala y El Salvador, en las tierras bajas de la Península de Yucatán y en el Golfo de Honduras eran más densas en lo demográfico y se caracterizaban por una cultura más sofisticada. La influencia mexicana en esas áreas, de origen predominantemente maya, se fortaleció en el siglo XVI.

Las ruinas de las ciudades mayas son espectaculares vestigios del

Indígenas y bosques.

crecimiento urbano, las técnicas arquitectónicas, el preciso conocimiento astronómico y la visión artística de esa destacada civilización. La irradiación que tuvo –a la que se agregó posteriormente la de los aztecas– se extendió al extremo sur del istmo e influyó en las sociedades asentadas en Costa Rica.

El territorio costarricense, a comienzos del siglo XVI, estaba ocupado por varios cientos de miles de indígenas, la mayoría ubicados en el Pacífico norte y en el Valle Central. El crecimiento demográfico, basado en cultivos más intensivos (en especial, el del maíz), no supuso una transformación abrupta del paisaje natural. El universo construido por los aborígenes se abrió paso en un exuberante entramado tropical, caracterizado por bosques tupidos y oscuros, ríos caudalosos, pantanos súbitos, una vegetación frondosa y espesa, cordilleras densas y azules y una fauna diversa y, a menudo, salvaje.

La organización básica de la civilización indígena partía de la aldea, verdadero eje de la vida cotidiana, que incluía, aparte del comercio y la producción agrícola y artesanal, la guerra. La federación de varias de estas células locales constituía un cacicazgo, cuyo peso específico en la jerarquía del poder variaba de acuerdo con el tamaño de su población y la extensión del espacio que controlara. La unidad cacical, a su vez, podía integrarse en una estructura sociopolítica

...las más ásperas montañas que he visto, y según opinión de algunos, que se an visto. Pasáronse travajos yntolerables de hambre y de sed y otros de abrir caminos por pequeñas tajadas y subir y baxar grandes cumbres, tan lluviosas y cavernosas que por maravilla se vía el sol.

Juan Vázquez de Coronado, uno de los conquistadores de Costa Rica, 1563.

y militar más amplia, compleja y centralizada: el señorío, cuya jurisdicción comprendía usualmente un territorio vasto y disputado.

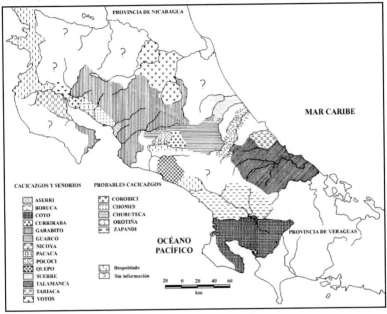

Cacicazgos y señoríos de Costa Rica, siglo XVI.

El cacicazgo de Nicoya era, en el siglo XVI, el más importante del Pacífico norte de Costa Rica; el de los Votos se ubicaba en las llanuras de San Carlos, cerca del actual límite con Nicaragua; los de Suerre, Pococí, Tariaca y Talamanca se localizaban en el Caribe; y en el Pacífico sur, las principales unidades cacicales eran Quepo, Coto y Boruca. Los señoríos de Guarco y Garabito destacaban en el Valle Central. El territorio del primero, aunque abarcaba varias áreas entre Alajuela y

San José, se concentraba al este de Cartago; y el del segundo, se extendía de Esparza a las cercanías del río San Juan.

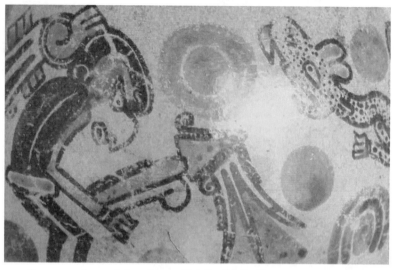

Guerra sagrada entre la luz y la oscuridad (detalle), Pacífico norte, 800-1350 d. C.

La nobleza aborigen, que encabezaba las diferentes formas de organización territorial, se dividía en señores y en caciques principales y secundarios. Los vínculos de parentesco tendían a unir a estos líderes, quienes solían atribuirse facultades mágicas y religiosas, con el fin de fortalecer su autoridad. La dirigencia indígena, gracias a las funciones que cumplía asociadas con la guerra, el comercio y los tratos con los seres sobrenaturales, estaba en una posición privilegiada para explotar a sus inferiores sociales y para tener acceso al oro y a los esclavos. El poder político se transmitía por vía hereditaria (matrilineal) y su origen se confundía con el de ancestros venerables, una manera de acentuar el decisivo peso mítico que tenía el linaje.

Un rancho en Sipurio, Talamanca. Óleo. Luis Sanclemente, 1892.

Las diferencias entre los grupos indígenas eran visibles en diversas áreas: en lo arquitectónico, el rancho elíptico rectangular prevalecía en el Pacífico norte, y el circular en el Valle Central; en contraste, la construcción típica en el Caribe y en el Pacífico sur era el palenque, protegido por empalizadas y capaz de albergar de 300 a 400 personas. El paisaje lingüístico también era variado: en un contexto en el que predominaba la comunicación oral, las lenguas existentes eran muchas, aunque la que se utilizaba en los

...este cacique Tuarco [estaba con]... un yndio rebuelto en cantidad de mantas, con oro y otras cosas, encima de una barbacoa... llorávanle más de sesenta yndios y otras tantas yndias, a su modo para le enterrar. Hízome gran lástima saber que quatro días antes avían muerto quatro o seys mochachos para enterrarlos con el difunto...

Juan Vázquez de Coronado, 1563.

señoríos de Garabito y Guarco –el huetar– quizá se convirtió en la *lingua franca* para un amplio conjunto de comunidades.

La cosmovisión de los indígenas era de tipo animista: creían que las personas, los animales y los fenómenos de la Naturaleza tenían espíritu, el cual podía ser bueno, dañino o peligroso. Las prácticas funerarias, en las que se vislumbra una expectativa por alcanzar la inmortalidad, se distinguían por el tratamiento especial que se le daba al cadáver, en particular cuando el fallecido pertenecía a la jerarquía cacical. El difunto era enterrado con diversos objetos (a veces de oro) y con sus esclavos, sacrificados para la ocasión, con el propósito de que unos y otros le ayudaran en la otra vida.

Las actividades religiosas se verificaban en templos u oratorios, similares a las viviendas, aunque de mayor tamaño; en esos lugares sagrados, que servían además para guardar los utensilios rituales –instrumentos musicales, máscaras, esteras y otros por el estilo–, los sacerdotes celebraban las ceremonias y se profesaba culto a ciertos íconos (también de oro, a juzgar por el saqueo posterior efectuado por los españoles). El chamán cumplía varias funciones clave: contestar a las preguntas de la comunidad, avizorar el futuro y servir de intermediario entre lo sobrenatural y el quehacer cotidiano.

El Pacífico norte de Costa Rica se distinguía en el siglo XVI por una práctica ceremonial específica: los sacrificios humanos y la antropofagia. El cacicazgo de Nicoya organizaba celebraciones de este tipo tres veces al año, coincidentes con las cosechas de maíz. El día de la fiesta, con la jerarquía cacical acicalada y pintada, se consumía chicha (una bebida alcohólica elaborada con maíz fermentado) y se bailaba delante del templo; después, entre cinco o seis personas –mujeres o varones, previamente seleccionados– eran subidas al altar, les extraían el corazón, les cortaban la cabeza y arrojaban sus cuerpos abajo, para que su carne fuera comida con la solemnidad del caso.

El sacrificio de personas en actividades funerarias o ceremoniales se vinculaba directamente con la esfera militar, ya que los enfrentamientos constituían la fuente básica de esclavos. La guerra, constante y en extremo difundida, tenía orígenes variados: defensa y expansión del territorio de cada grupo, acceso a las principales vías comerciales, obtención de oro mediante el pillaje, intentos para imponer o resistir el intercambio desigual entre comunidades, escasez de productos ocasionada por desastres naturales o conflictos políticos y rapto de adultos y niños. Los prisioneros, aparte de sumarse a la fuerza de trabajo, elevaban el potencial demográfico

...toman una muger u hombre... é súbenlo en el dicho monte é ábrenle por el costado é sácanle el corazón, é la primera sangre del es sacrificada al sol. E luego descabezan aquel hombre e otros quatro o cinco sobre una piedra... y echan los dichos cuerpos assi muertos á rodar... donde son recogidos é después comidos por manjar sancto e muy presciado.

Gonzalo Fernández de Oviedo, 1527.

de sus captores, al dotarlos de más mujeres en edad fértil.

La dimensión mágica de la guerra tenía diversas expresiones: entre otras, robar el oro del bando contrario para debilitarlo, y cortar las cabezas de los enemigos para usarlas como trofeos. Las armas empleadas en los enfrentamientos eran arcos, flechas, lanzas, piedras y escudos de madera o de cuero; y entre las tácticas bélicas, destacaban las emboscadas, el saqueo, los ataques por sorpresa, los incendios y el uso de trampas. El éxito militar dependía, en grado considerable, de las alianzas que forjaran los contendientes con sus vecinos, una estrategia que fue muy útil para los españoles durante la conquista.

El fin de una civilización y el comienzo de otra.

CAPÍTULO 3

CONQUISTA Y RESISTENCIA (1502-1570)

La conquista española de Costa Rica fue tardía e incompleta en comparación con el resto de Centroamérica. La venida de los conquistadores fue, por tanto, precedida por la de sus virus y bacterias, que diezmaron a los indígenas. El aparato educativo costarricense, desde finales del siglo XIX, difundió el mito de que, al darse el primer contacto con los europeos, en el decenio de 1500, la población aborigen era ínfima; sin embargo, ascendía por esa época a unas 400.000 personas, cifra que únicamente volvería a ser alcanzada por el país en la década de 1920. El total de nativos bajó a 120.000 almas en 1569, cuando los invasores tenían ya un asiento permanente en el territorio, y se redujo a 10.000 individuos en 1611.

Resistencia indígena.

La guerra y la explotación indiscriminada de la fuerza de trabajo aborigen tuvieron su peso en esa catástrofe demográfica; sin embargo, las epidemias traídas por conquistadores que procedían de otro continente fueron el factor principal. El sistema inmunológico de los indígenas fue incapaz de defenderlos de enfermedades nuevas como viruela, tifus, tosferina, sarampión y gripe.

La fase inicial de la conquista de Centroamérica se ubicó entre 1519 y 1525. El proceso se caracterizó por la convergencia de dos movimientos distintos: uno que descendió al sur, desde México, y otro que partió del Pacífico panameño hacia el norte. La fragmentación política del universo aborigen dificultó en extremo el control español, tarea que fue complicada además por los constantes conflictos entre los mismos invasores La anarquía prevaleciente fue el escenario de un primer ciclo económico que se extendió entre 1536 y 1540, basado en la genocida esclavización de los indígenas de Nicaragua y Nicoya, quienes fueron exportados, entre otros lugares, a las Antillas, al Golfo de Honduras, a Perú y a Panamá.

La organización política de Centroamérica se estabilizó en los treinta años posteriores a 1540: en 1548, se fundó una Audiencia en Santiago de Guatemala, que comprendió, a partir de 1570, el espacio que se extiende

...en un solo navío que llevaba [¿a Perú?] quatrocientos yndios e yndias [esclavos], antes de ser acabado el viaje no quedaron de ellos cincuenta porque todos los demás se murieron.

Prohibición de exportar a los indígenas de Nicaragua y Nicoya, 1536.

entre Chiapas (actualmente un estado mexicano) y Bocas del Toro (circunscripción hoy perteneciente a Panamá). El territorio costarricense fue, a su vez, dividido en dos jurisdicciones claramente diferenciadas: la Provincia de Costa Rica y el Corregimiento de Nicoya. El llamado "Reino de Guatemala", dependiente en forma directa de la Corona, se convirtió en una unidad administrativa bastante autónoma del poderoso Virreinato de Nueva España (México), y conservó este perfil durante toda la época colonial.

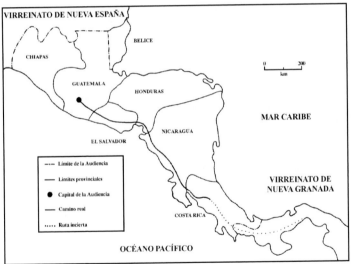

Audiencia de Guatemala, cerca de 1800.

El control de las autoridades civiles y eclesiásticas, en este entramado institucional, se extendió significativamente, por lo menos en las tierras altas del centro y en las costas y pendientes del

Pacífico centroamericano. La vertiente del Caribe permaneció prácticamente sin conquistar, dada su lejanía de las principales poblaciones, el clima insoportable y una tenaz resistencia de los aborígenes asentados en esa área.

La primera etapa de la conquista de Costa Rica fue parte del esfuerzo español por someter el Pacífico de Centroamérica: en 1519, Hernán Ponce de León alcanzó el Golfo de Nicoya, pero no desembarcó; en 1522, Gil González Dávila exploró el área por tierra y comerció con los indígenas; y en 1524, Francisco Fernández de Córdoba fundó Villa Bruselas. El primer asentamiento invasor en territorio costarricense fue efímero: desapareció entre 1527 y 1528 por disputas entre los conquistadores y por ataques de los aborígenes, que forzaron a los últimos colonos a abandonar ese incipiente poblado.

Exploración del Pacífico costarricense.

La villa tuvo una corta vida, pero su fundación inauguró un violento proceso de desestructuración de las sociedades cacicales del Pacífico norte. La exportación de esclavos se aunó con la distribución de los indígenas en encomiendas (una relación servil que obligaba a los nativos a proveer trabajo y productos a los conquistadores), el cobro de tributos y otras exacciones por el estilo. La colaboración de la nobleza local con los europeos limitó la resistencia armada del grueso de los aborígenes que, a veces, optaron por huir a la montaña para escapar de la opresión y la explotación. El efecto devastador de la invasión española consta en los datos demográficos: en Nicoya, la cifra de varones en edad de trabajar bajó de 2.000 a 500 personas entre 1529 y 1557.

La vertiente del Caribe se caracterizó por una conquista todavía más violenta y fallida. Cristóbal Colón fondeó en el actual puerto de Limón en 1502, pero la primera, temprana y desastrosa exploración de la costa caribeña de Costa Rica fue emprendida en 1510 por Diego de Nicuesa. El ejemplo de ese conquistador fue imitado, veinte años después, por Felipe Gutiérrez (1534-1535), Hernán Sánchez de Badajoz (1539-1541), Rodrigo de Contreras (1540-1541) y Diego Gutiérrez (1543-1544). Los aborígenes, amistosos al inicio, se enfrentaron con los invasores una vez que empezaron las exacciones de alimentos y de oro.

Los conquistadores, en su afán por someter el territorio, fundaron varios asentamientos, todos efímeros: Villa de la Concepción en 1535, y en 1540, Badajoz y Marbella. El fracaso de tales esfuerzos obedeció a los conflictos entre los propios españoles, a las dificultades del terreno, al clima inclemente, a la escasez de abastos oportunos provenientes de otras áreas del istmo y a la fuerte resistencia indígena.

Llegué a tierra de Cariay [en 1502], *adonde me detuve á remediar los navíos y bastimentos, y dar aliento á la gente, que venía muy enferma... Allí supe de las minas de oro de la provincia de Ciamba, que yo buscaba.*

Cristóbal Colón, carta escrita en Jamaica, julio de 1503.

Azotes y corte de cabello y orejas a los indígenas.

La tenaz oposición de los aborígenes fue una respuesta a la tendencia de los europeos a maltratar –y no a cooptar– a las jerarquías cacicales. Los nativos, más dispersos y fragmentados que en el Pacífico norte, gozaban del abrigo de bosques tupidos y no vacilaron en arrasar sus sembrados con el fin de obligar, en virtud de la falta de víveres, al retiro de la fuerza invasora.

La muerte de Diego Gutiérrez a manos de los aborígenes (1544) abrió un paréntesis amplio en el proceso de conquista en el Caribe. El próximo esfuerzo español por someter tal área se inició en 1560, cuando el clérigo Juan de Estrada Rávago partió de Granada (en Nicaragua) y alcanzó Bocas del Toro, lugar en el que fundó la villa del Castillo de Austria. El asentamiento pronto fue trasladado a la desembocadura del río Suerre, dada la carestía de alimentos y la fuerte oposición indígena; pero poco después fue abandonado. El éxito de las expediciones posteriores, varias organizadas ya en el siglo XVII, fue parecido.

El Valle Central tampoco fue conquistado fácilmente. La primera expedición que penetró en tal área fue la de Juan de Cavallón en 1561, quien fundó la ciudad de Castillo de Garcimuñoz, la villa de Los Reyes y el puerto de Landecho. Los asentamientos precedentes, sin embargo, fueron en extremo precarios, dada la oposición indígena. El verdadero conquistador del espacio que se convertiría en el epicentro de la vida colonial costarricense fue Juan Vázquez de Coronado, cuya empresa, iniciada en 1562, procuró cooptar a las jerarquías cacicales. El grupo invasor, orientado por ese objetivo, exploró con extremo detalle el territorio y se afanó por aliarse con los aborígenes; durante tales andanzas, Costa Rica adquirió su capital colonial: Cartago.

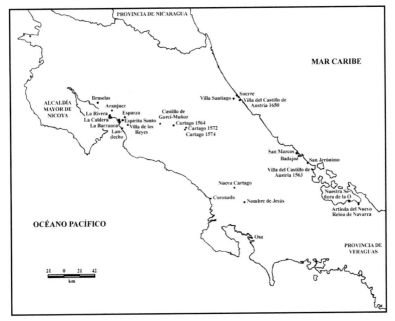

Fundaciones españolas en Costa Rica, siglo XVI.

El uso de tácticas persuasivas fue limitadamente exitoso y, ya en 1564, Vázquez de Coronado enfrentó diversos levantamientos de los aborígenes, por lo que dispuso el descuartizamiento de varios sublevados. La agitación

El más dañoso para la pacificación desta provincia es un cacique llamado Garabito... y no se contenta con aver sacrificado un soldado que le prendió al licenciado [Juan de] Cavallón... sino que exorta y aun amenaza a todos los demas que no den la obediencia que deven a Vuestra Magestad ni reconozcan a Dios nuestro Señor. Así he hecho un proceso contra el: esta condenado a muerte y a que se le haga guerra como a persona que se a rebelado.

Juan Vázquez de Coronado, diciembre de 1562.

alcanzó su clímax en 1568, cuando Cartago casi fue abandonada, un evento impedido en el último minuto por el arribo, con víveres y otros auxilios, del gobernador Perafán de Rivera. El representante de la Corona, tras sofocar la rebelión, procedió a distribuir las primeras encomiendas entre los conquistadores, cuya adjudicación los autorizó para que los aborígenes sometidos les tributaran mano de obra, servicios y productos de diverso tipo.

El dominio español en el Valle Central se consolidó únicamente a finales del siglo XVI. Los conquistadores, aparte de sus ventajas tecnológicas (el caballo, el metal y la pólvora), aprovecharon los conflictos entre los indígenas, cooptaron cada vez que pudieron a las jerarquías cacicales y se

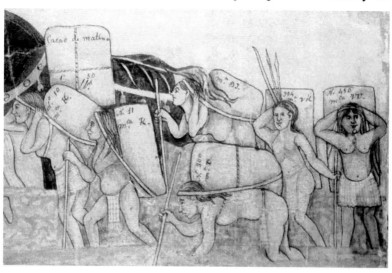

Explotación de los indígenas.

beneficiaron del desgaste que las enfermedades, la explotación y la guerra
provocaron en la población aborigen.
Los vencidos, a su vez, desafiaron militarmente a los invasores en diversas
ocasiones, pero su opción básica fue
huir a áreas de difícil acceso, en el Caribe, en las llanuras de San Carlos y en
Talamanca.

Armas de fuego contra arcos y flechas.

La Costa Rica de comienzos del siglo XVII era una colonia pobre, vacía,
aislada y marginal. El grueso del territorio estaba sin ocupar o poblado por "indios bravos". El asentamiento principal,
ubicado en el Valle Central, era un universo diminuto, encerrado entre montañas, lejos de las costas y distante de los
principales caminos del comercio. La
adscripción administrativa del territorio
al Reino de Guatemala facilitaba que

...la tierra está acabada y consumida, y la ciudad de Esparça de todo punto despoblada... los naturales perecen y se acaban... Estos ynconvinientes y otros muchos... cesarán con que Vuestra Magestad mande agregar esta provincia á vuestra rreal audiencia de Panamá...

Cabildo de Cartago, abril de 1622.

los mercaderes del norte del istmo especularan a expensas de los vecinos de Cartago y de sus descendientes. El sector económica y políticamente más poderoso de la provincia, localizada en la periferia del imperio español, estaba constituido por *ultimus inter pares* (últimos entre los iguales). El sueño que pronto los desveló fue unirse a la dinámica Audiencia de Panamá, vía de paso del tesoro peruano del océano Pacífico al mar Caribe, antes de emprender su viaje definitivo a España; pero tal expectativa jamás se cumplió.

CAPÍTULO 4

EL TEMPRANO
MUNDO COLONIAL
(1570-1700)

La inserción de Costa Rica en la economía colonial se basó, a partir de la década de 1570, en la exportación de una amplia variedad de productos: entre los víveres, figuraban maíz, miel de abeja, frijoles, sal, harina de trigo, bizcocho, ajos y gallinas; entre los artículos artesanales, diversas piezas de cerámica, hamacas y mantas; entre las materias primas, añil, tinte del caracol múrice, hilo de algodón, henequén, pita, cabuya y otras fibras para elaborar cuerdas y aparejos; y entre otros bienes, perlas, sebo, cerdos, tasajo y ganado en pie.

El destino típico de tales mercancías era variado: en Nicaragua, aparte de las ciudades de Granada y León, alcanzaban el puerto de El Realejo, asiento de importantes astilleros; y en

Comercio.

el sur, eran transados en las plazas de Panamá, Nombre de Dios, Portobelo, Cartagena y Perú.

La importación, a su vez, se componía de bienes manufacturados: textiles (telas y ropas), enseres, herramientas y variados artículos de lujo. La principal vía de comunicación terrestre era el célebre "camino real": abierto en 1601, partía de Nicaragua, atravesaba los agrestes territorios de Guanacaste y Esparza y culminaba en Cartago. La estructura de puertos de Costa Rica tampoco era extremadamente amplia: en el Caribe, funcionó el de Suerre entre 1576 y 1636, y en este último año, se habilitaron los de Moín y Matina; y en el Pacífico, fueron fundados, en la década de 1570, el de Caldera, el de Abangares y el de Alvarado.

La costa del Pacífico, que poseía abundantes maderas preciosas (cedro, pochote), dispuso desde el siglo XVI de tres astilleros: el de Nandayure en Nicoya, y los de Juan Solano y el de La Barranca, en la jurisdicción de Esparza. La actividad básica, cuyo eje era la construcción y reparación de embarcaciones de diversa índole, exigía –aparte de fuerza de trabajo especializada– víveres para los artesanos y otros trabajadores, mantas para fabricar velas, y fibras para elaborar jarcias. El consumo de tales artículos fue otro factor que dinamizó el temprano comercio de esa época, el cual pronto

...también di quenta a Vuestra Magestad que junto a una ciudad de esta provincia, se a descubierto un puerto que parece se lleva orden de frequentarse con fragatas que vienen de Panamá por maíz y miel y manteca y salsaparrilla, y aves, y madera y se embarcan caballos y mulos, que se dize Esparza.

Alonso de Cubillo, tesorero de Costa Rica, marzo de 1580.

alcanzaría su primer esplendor gracias al tráfico mulero.

La exportación de Costa Rica conoció tres ciclos básicos de expansión y crisis durante el siglo XVII. El primero fue el de las mulas, cuyo auge se extendió entre las décadas de 1590 y 1680. La crianza de esas bestias de carga tenía por epicentro el Pacífico del istmo, desde Choluteca hasta Nicoya y Esparza y, antes de ser embarcadas en el puerto de Caldera con destino a Panamá (donde servían en diferentes actividades de transporte), efectuaban su descanso y potreraje en el Valle Central: Barva, Poás y Aserrí. El viaje por mar, a partir de 1601, fue sustituido por caravanas terrestres, que explotaban la fuerza de trabajo de los indígenas asentados en Quepos y Boruca.

La competencia de otras zonas productoras de mulas, ubicadas en Nicaragua y Honduras, afectó al Pacífico costarricense, área que empezó a priorizar la exportación de sebo y cuero a Panamá después de 1650. El crecimiento de la ganadería vacuna, que se reproducía casi de forma natural, fue la base de ese desplazamiento, que llevó a un usufructo depredatorio y originó una economía basada en la apropiación de vastas extensiones de tierra. El sacrificio excesivo, que suponía el desperdicio de la leche y la carne (dejada a la intemperie para que la devoraran los zopilotes o se pudriera), fue tal que

Exportación de mulas.

...con el sebo de vaca... del valle de Bagaces comercian con Panamá ... de una res sacan dos ó tres arrobas y las venden cada una á ocho reales á cambio de géneros, con que apenas gozan de ella tres pesos, valiendo en pie más la dicha cabeza de ganado; y por no haber quien la compre, hacen los dueños diferentes matanzas solamente con el fin de aprovecharse del poco sebo que tributan.

Gobernador Diego de la Haya Fernández, marzo de 1719.

amenazó la existencia misma del hato. El peligro de extinción se evitó luego de 1750: al abrirse el mercado guatemalteco para el ganado en pie de Esparza y Guanacaste, los hacendados comenzaron a administrar mejor su patrimonio.

El cacao fue el eje del principal ciclo exportador de Costa Rica en el siglo anterior a 1750. El cultivo, que se extendió después de 1660, fue estimulado por la venta del producto en Nicaragua; sin embargo, la época de mayor auge (1727-1747) se vinculó

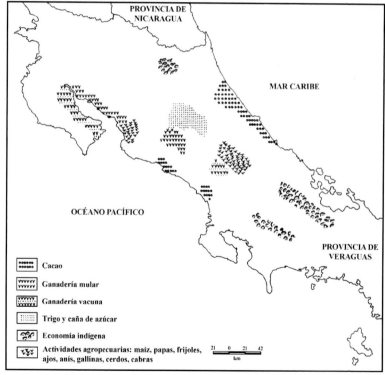

Economía de Costa Rica, siglos XVI y XVII.

con la colocación del fruto en las plazas del Caribe: Jamaica, Curazao, Portobelo y Cartagena.

La actividad cacaotera convirtió al puerto de Matina en plaza fuerte del contrabando, especialmente con los ingleses y los holandeses; dinamizó la economía colonial de Costa Rica al fomentar el comercio, y la dotó de un curioso circulante en especie: el peso de cacao (una cierta cantidad de granos equivalía a un peso), establecido en 1709 ante la agudizada escasez de plata.

El camino a Matina.

La esperanza de alcanzar una inserción próspera y sistemática en la estructura comercial de la época fue, sin embargo, vana. El esplendor cacaotero fue fugaz y decayó debido a un conjunto de factores diversos: impuestos establecidos por la Corona, falta de caminos y puertos apropiados, deficiencias en la calidad debido a los métodos de producción, y ataques de piratas y zambos mosquitos (una comunidad étnica caribeña que resultó del mestizaje entre indígenas y esclavos cuyo barco había naufragado en la costa de Nicaragua).

La principal razón que explica la decadencia cacaotera fue la competencia de otras áreas más poderosas del mundo colonial, como Caracas, Maracaibo y Guayaquil. El cultivo persistió y experimentó otro auge a fines del siglo XVIII, asociado con la exportación de cacao a Cartagena; pero fue más

...*mando* [el gobernador] *a los dichos yndios que hagan al dicho su encomendero... veynte y cinco hanegas de maíz... y le den ciento y trece arrobas de henequén y doce botijas peruleras de miel, y nueve arrobas de cera, y trescientas mantas nuevas... y seys arrobas de cabuya... y le hagan una sementera de frijoles... y ansí mesmo le den cien cantaros y cien ollas... y seis yndios e dos yndias para* [recolectar] *leña, yerba y para que muelan pan y sirvan en su casa...*

Del pueblo de Ciruro, compuesto por 300 indígenas tributarios, para el encomendero Matías Palacios, 1569.

breve que el primero, ya que se extendió entre 1770 y 1780.

El trasfondo social de las diversas actividades comerciales fue la explotación de la fuerza de trabajo indígena y negra. El caso de los aborígenes es visible en la distribución de encomiendas que efectuó el gobernador Perafán de Rivera en 1569: en ese año, a 85 conquistadores, les fueron otorgados 208 pueblos en los que vivían 21.199 personas; a su vez, a la Corona se le asignaron tres asentamientos (Pacaca, Quepo y Chome) con 2.676 tributarios. El encomendero se obligaba a evangelizar a sus encomendados, a cambio de que estos –gratuitamente– trabajaran en sus tierras y su casa, y le obsequiaran con volúmenes considerables de maíz, frijoles, cabuya, cera, miel, sal y otros productos por el estilo.

La explotación de los indígenas, en un contexto de veloz caída demográfica, se intensificó, en particular a finales del siglo XVI. La baja constante en los recursos que podían ser exigidos de comunidades aborígenes cada vez más pequeñas agudizó la competencia entre los representantes locales de la Corona, los de la Iglesia católica y los encomenderos por expoliarlas al máximo. El resultado de tal esfuerzo pronto fue visible estadísticamente: en 1611, un funcionario estatal que visitó Costa Rica calculó que el número de encomendados ascendía a poco más de 7.000 personas, un 67 por ciento menos de las que fueron distribuidas en 1569. El grupo español, enfrentado con tal crisis, se afanó por conquistar las áreas ocupadas por los "indios bravos", en particular Talamanca.

El esfuerzo por someter a los indígenas ubicados en el Caribe, en el Pacífico sur y en las llanuras septentrionales fue un proceso largo y desigual, que tuvo resultados diversos. La estrategia militar se aunó con las tentativas misioneras por conquistar tales territorios mediante la religión, y la fundación de asentamientos efímeros se combinó con la práctica de efectuar incursiones para capturar aborígenes, quienes eran trasladados a áreas bajo dominio español. El auge de este proceso se extendió entre 1611 y 1709.

Los indígenas ofrecieron una tenaz resistencia a los intentos por someterlos, los cuales decayeron después de que en 1709 Talamanca fuera escenario de una rebelión de "indios bravos". La represión, con la ayuda financiera y militar de Guatemala, se efectuó en 1710, fecha en la que el cacique Pablo Presbere, líder de los sublevados, fue capturado, juzgado y ejecutado.

La escasez de fuerza de trabajo derivada de la caída demográfica y de la incapacidad española para conquistar a los "indios bravos", obligó a explorar otras opciones. La principal fue importar esclavos negros de los mercados del

...condeno al dicho Pablo Presbere... que sea... puesto sobre una bestia de enjalma y llevado por las calles de esta ciudad [Cartago]... *y estramuros de ella, arrimado á un palo, vendados los ojos... sea arcabuzeado... y luego... le sea cortada la cabeza y puesta en el alto... en el dicho palo...*

Gobernador Lorenzo Antonio de Granda y Balbín, julio de 1710.

Caribe, a veces adquiridos en el contexto de un floreciente contrabando. El tráfico esclavista estuvo muy vinculado con la actividad cacaotera, y su época de auge se ubicó entre 1690 y 1730. La epidemia que en el primero de estos años diezmó a la población aborigen del Valle Central condujo a que se prohibiera utilizar la mano de obra de los indígenas de Talamanca en la atención de los cacaotales de Matina.

La ejecución de Presbere en 1710.

Los esclavos resistieron su destino de diversas formas, en su mayoría sutiles y orientadas a subvertir la voluntad del amo, y no mediante una oposición abierta. La explotación a que fueron sometidos fue limitada: dado su alto costo, constituían una inversión que el dueño debía proteger. La esclavitud en Cartago y Matina tuvo un carácter casi doméstico, y fue menos brutal que la que caracterizó a otras áreas coloniales, en especial a las islas del Caribe y a Brasil.

La opción de comprar su libertad no fue desconocida para los esclavos. El otro recurso con que contaron fue la manumisión (se les liberaba), en reconocimiento a los servicios prestados a su amo, o porque eran descendientes de él o la madre de sus hijos. La información disponible indica que, al menos, 430 personas se emanciparon o fueron manumitidas entre 1648 y 1824. Los negros libres y los mulatos fueron especialmente visibles en el Pacífico norte, donde ocuparon con frecuencia el puesto de capataz en las vastas haciendas ganaderas. La población de origen africano, en el siglo que se extiende entre 1750 y 1850, fue étnica y socialmente incorporada a la sociedad costarricense mediante el mestizaje.

...mi suegro Seferino Luna... fue casado con mi suegra Dominga Solano... esclabos uno y otro, y... con su trabajo compraron su libertad y después libertaron en el bientre dos hijos, que la una es mi muger...

Antonio Calderón, campesino de Cartago, julio de 1822.

Los comienzos de San José.

El período 1690-1750 se distinguió por el ocaso definitivo de la encomienda y la esclavitud, dada la caída demográfica y la resistencia de los "indios bravos" y la baja en la exportación de cacao. Los poderosos de la época, vecinos de Cartago, eran ganaderos en Guanacaste y cacaoteros en Matina, comerciaban al por mayor y al detalle y controlaban los cargos civiles, militares y eclesiásticos; pero fracasaron en construir una sociedad basada en la explotación de la fuerza de trabajo aborigen o negra.

El siglo XVIII fue escenario de un mestizaje creciente, en cuyo curso se consolidó un campesinado libre, compuesto por personas de origen español (los hijos de los encomenderos pobres) y mestizo. Las familias de estos productores agrícolas empezaron a poblar el Valle Central, en especial los fértiles campos de San José, Heredia y Alajuela.

...en un llano muy ameno... se hallan situadas doscientos y veinte casas de teja y ciento noventa y cuatro de paja, unas haciendas de trapiche, otras con ganado vacuno, otras con las labores de... trigo, maíz, tabaco, frijoles, cebollas, ajos, anís, culantro y eneldo...

San José, según el obispo Pedro Agustín Morel de Santa Cruz, septiembre de 1752.

CAPÍTULO 5

COMERCIANTES Y CAMPESINOS (1700-1850)

La principal transformación que experimentó Costa Rica en el siglo XVIII fue la expansión de la producción campesina. El crecimiento demográfico en los alrededores de Cartago –la capital colonial– coincidió con el agotamiento de las posibilidades de tener acceso a la tierra. Las familias rurales, en tales circunstancias, empezaron a colonizar el oeste del Valle Central. El desplazamiento de la frontera agrícola condujo a la fundación de nuevos asentamientos: Heredia en 1706, San José en 1736 y Alajuela en 1782.

Las áreas recientemente pobladas carecían de una pronunciada diferenciación social al inicio; pero, pese al mito de que Costa Rica era una democracia rural igualitaria a finales del período colonial, ciertos contrastes eran

Pilón.

...habrá un comisario que cuide la extracción de leña y demás materiales de la montaña... y deberá cuidar que ninguna persona haga destrosos y volteas de madera en porción que exceda de cuatro árboles... todo individuo de los que trabajan en las márgenes de la montaña sembrará precisamente de cuatro a cuatro varas de distancia un árbol de madera viva...

Disposiciones de los campesinos dueños de la montaña de Candelaria. San José, junio de 1845.

visibles, incluso entre el campesinado. Los agricultores prósperos eran dueños de sus propias fincas, en tanto que los campesinos pobres dependían de tierras comunales. El acceso al ganado vacuno, caballar y mular era más amplio para unos que para otros, y la mejor tecnología de la época tendía a ser concentrada por los más pudientes.

La unidad productiva básica de este mundo agrícola era la chácara: una finca familiar que combinaba, en grados diversos, los cultivos de subsistencia y los comerciales (especialmente la caña de azúcar), la cría de ganado, cerdos y aves de corral y ciertos quehaceres artesanales. El fundo campesino, a su vez, se insertaba en un universo más amplio: la comunidad aldeana, en cuyo seno se definía el uso de la tierra, la explotación del bosque (leña, madera, bejucos), el empleo del agua y otros aspectos por el estilo.

La aldea, aparte de velar por el patrimonio común, era el eje de la vida cotidiana y de los valores y visiones de mundo del campesinado. La protocolización y aplicación de sus propias reglas permitió que, a fines del período colonial, esas comunidades lograran cierto autogobierno, capaz de canalizar por vías legales la conflictividad individual y colectiva.

El espacio rural era muy diferente de los cascos urbanos de Cartago, San José, Heredia y Alajuela: aunque diminutos, eran el asiento de una artesanía especializada y de las familias más poderosas y prósperas de la provincia. Los "vecinos principales" tenían intereses diversos: ocupaban cargos civiles, eclesiásticos y militares, acaparaban el circulante, arrendaban el cobro del diezmo (del cual descontaban un porcentaje en compensación por el servicio), alquilaban parcelas a los campesinos pobres, poseían haciendas de ganado en Guanacaste y cacaotales en el Caribe, eran dueños de esclavos y de barcos, y controlaban la exportación y la importación de Costa Rica.

Día de mercado en Cartago.

La actividad básica que definía a los vecinos principales era el comercio, cuyo eje era el intercambio desigual con los productores. El comerciante adquiría, por debajo de su valor, el excedente agrícola, pecuario y artesanal (lo que sobraba después de satisfacer el consumo familiar), y lo exportaba –en especial– a Nicaragua y Panamá. El producto de sus ventas lo utilizaba posteriormente para adquirir, en esas plazas distantes, diversas manufacturas, las cuales importaba con el fin de colocarlas, a precios elevados, entre los campesinos y artesanos del Valle Central.

Los comerciantes, ya desde el siglo XVIII, carecían de recursos para extraer, sistemáticamente, bienes y servicios con base en las diferencias étnicas o mediante el uso de la fuerza. La explotación, en tales circunstancias, asumió la forma de un simple vínculo mercantil entre grupos sociales, jurídicamente libres, pero con posiciones económicas diferenciadas, lo que le permitía a los mercaderes comprar barato y vender caro. El intercambio desigual se reproducía entre el exportador del Valle Central y sus proveedores del exterior, que estaban mejor ubicados en la estructura del comercio colonial.

Campesino.

Los mayoristas asentados en Guatemala, Nicaragua y Panamá aprovecharon su ventajosa posición para establecer las condiciones en que adquirían el excedente agrícola, pecuario y artesanal y fijar los términos en que vendían los géneros extranjeros. El comerciante costarricense, sin embargo, no era un explotado: era simplemente alguien que, debido a su condición subordinada, era incapaz de retener para sí toda la utilidad derivada de explotar a sus inferiores sociales. El mercader del Valle Central, fuera de su provincia, se veía tan a merced del abastecedor foráneo como, en Costa Rica, campesinos y artesanos estaban al arbitrio suyo.

El artículo importado, por tener que satisfacer la utilidad de los proveedores del exterior, era costoso. El comerciante no podía encarecerlo desmesuradamente porque se arriesgaba a no venderlo; por tanto, la ganancia provenía, en su mayor parte, más que del alza en el precio del género foráneo, del bajísimo valor a que se adquiría el excedente agropecuario y artesanal. La chácara, dado que no dependía de las leyes del mercado para sobrevivir, vendía únicamente la porción de la producción que quedaba una vez cubierto el consumo doméstico. Las fincas campesinas, en la medida en que se basaban en mano de obra familiar –que no era computada como un costo– podían lograr un beneficio con la venta de sus sobrantes, aunque fuera por una suma ínfima.

La España del siglo XVIII fue escenario del ascenso de una nueva dinastía. La monarquía borbónica, influida por las ideas de racionalizar la administración que prevalecían en Francia, comenzó una serie de reformas con el propósito de estimular el comercio colonial y, por extensión,

Se pretende, pues, sujetar á la infeliz Costa Rica que camine... hasta Guatemala para comprar los géneros que necesitan, ó á lo menos que vaya á León... á comprar de reventa los mismos géneros... La solicitud [de los comerciantes guatemaltecos de prohibir el comercio con Panamá] *es egoísta, injusta, opresora, inadmisible...*

Queja de los comerciantes del Valle Central, agosto de 1813.

elevar los ingresos fiscales de la Corona. La economía del Valle Central fue afectada por ese proceso, que incluyó el establecimiento de un monopolio estatal sobre la producción y venta de tabaco y licor.

La comercialización del aguardiente, aunque se concentró en Costa Rica, incentivó la siembra de caña de azúcar y la fabricación de trapiches para su procesamiento. La actividad tabacalera, en contraste, encontró su principal mercado en Nicaragua y tuvo un período de auge entre 1787 y 1792, cuando las autoridades coloniales en Guatemala otorgaron a los cosecheros costarricenses el monopolio para abastecer a todo el resto de Centroamérica. El cultivo decayó rápidamente al eliminarse tal privilegio.

La agricultura comercial, cuyos ejes eran la caña de azúcar y el tabaco,

Trapiche.

disfrutó de condiciones óptimas en el oeste del Valle Central, gracias a que el campesinado de esta área, a diferencia del asentado en las cercanías de Cartago, era más próspero y podía invertir en tierra, ganado y tecnología. El crecimiento económico y demográfico, en concordancia con ese contraste, se desplazó, entre 1750 y 1790, de la capital colonial a Heredia, San José y Alajuela. El casco josefino pronto aventajó a sus vecinos, liderazgo que obedeció, en mucho, a que la actividad tabacalera se concentró en su entorno, por los que sus agricultores tuvieron un acceso privilegiado al crédito suministrado por una Factoría establecida en 1781 para administrar el monopolio.

El peso decisivo del Valle Central era evidente ya en 1801: en ese año, concentraba el 83 por ciento de los 50.000 habitantes de Costa Rica. La mayoría eran mestizos: seis de cada diez personas. Los blancos (españoles o sus descendientes) suponían una ínfima minoría: de 6 a 9 por ciento de la población total. Los indígenas, recuperados demográficamente después de 1750, constituían el 14 por ciento de quienes vivían en el territorio costarricense, y la mitad de esa proporción correspondía a comunidades aborígenes asentadas en las llanuras de San Carlos y Sarapiquí y en Talamanca. Los negros, que tendían a localizarse en Cartago y Matina, representaban casi el uno por ciento de todas las almas; y los

Yo mismo que hace diez años que resido en ella [San José] he visto en este corto tiempo levantarse una multitud de casas buenas y salir del polvo de la nada a los que habitan estas. Todos los días concurren familias de los otros lugares a porfía a avecindarse en esta [ciudad] traídos de los caudales que se derraman por las cosechas [de tabaco] siendo la envidia de los lugares cercanos...

Mariano Montealegre, administrador de la Factoría de Tabacos, 1818.

pardos, mulatos y zambos (individuos con alguna ascendencia africana) suponían un 17 por ciento y predominaban en Guanacaste.

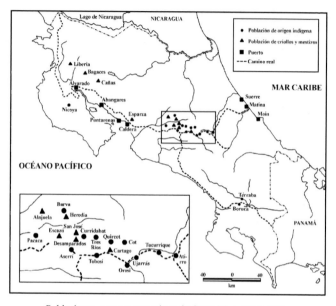

Poblaciones, puertos y caminos de Costa Rica, 1750-1821.

El territorio, en su conjunto, albergaba estructuras económicas y sociales diferenciadas. La agricultura itinerante era practicada por las comunidades indígenas refugiadas en áreas lejanas: las llanuras septentrionales y Talamanca. El cultivo del cacao, desde finales del siglo XVIII, decaía, junto con la esclavitud, en el Caribe; y en Guanacaste y Esparza, un campesinado libre, que practicaba la caza y la horticultura, laboraba ocasionalmente en las haciendas. La ganadería extensiva, típica de estos espacios, se benefició

de la expansión de la producción añi-
lera en Guatemala y El Salvador después de 1750, cuando la revolución
industrial europea estimuló la demanda de tintes. El desplazamiento
del pasto por el añil abrió un mercado para el ganado en pie, que fue
abastecido por los criadores del sur
de Centroamérica.

El Valle Central era el área más
importante de Costa Rica, económica
y socialmente. La expansión de la producción campesina y la formación de
una sociedad que no se basó en la servidumbre ni en la esclavitud lo convirtieron en un espacio más integrado, étnica y culturalmente. El peso demográfico de los mestizos se aunaba con
el predominio de una cultura de fuerte

*La hacienda de Don
Juan* [José Bonilla, ubi-
cada en Guanacaste] *te-
nía tanto terreno como
un principado alemán.
Abarcaba doscientos
mil acres... pero tan so-
lo una pequeña parte
estaba cultivada... en el
resto vagaba el ganado.
Más de diez mil reses
andan allí errantes, casi
tan salvajes como los
venados...*

John Lloyd Stephens, viajero
y diplomático estadounidense,
1840.

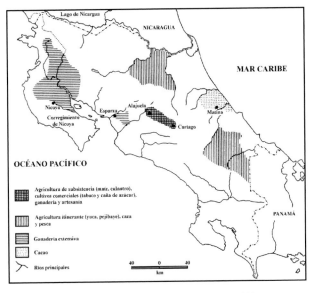

Espacios económicos en Costa Rica, 1750-1821.

Semana Santa, San José, 1858.

raíz española y católica, que era –desigualmente– compartida por comerciantes, campesinos y artesanos. Los íconos y los cuadros piadosos de oro y plata, a veces con incrustaciones de piedras preciosas, eran comunes en las viviendas de los acaudalados; en las chozas de los pobres, lo usual eran simples estampas de papel. El conjunto de santos venerados en unas casas y en otras, sin embargo, era el mismo, y similares las creencias en cuanto al pecado, el matrimonio y la muerte.

El universo familiar a comerciantes y campesinos empezó a variar luego de 1821, cuando Centroamérica, tras los pasos de México, se independizó. El libre comercio, la venida de empresarios foráneos, un breve ciclo minero y la extracción de palo brasil aceleraron el crecimiento económico. Los nuevos contactos con el mercado mundial apenas fueron el prólogo de inminentes cambios en la política y la cultura.

La minería, que tuvo su epicentro en los Montes del Aguacate, experimentó un período de auge entre 1821 y 1843 y, al calor de su fiebre, se erigió en San José la Casa de Moneda en 1828. La actividad, consumidora de los víveres y de la fuerza de trabajo del Valle Central, contribuyó a monetizar la economía y a dinamizar el mercado interno; pero fue poco lucrativa en términos de sus utilidades y no deparó la riqueza fácil y abundante que se esperaba.

El palo brasil, que crecía silvestre en la costa del Pacífico centroamericano y era muy apreciado por su tinte, fue un artículo de exportación decisivo entre 1800 y 1840. La extracción alcanzó su esplendor en la década de 1830. Los troncos, comprados especialmente por importadores ingleses, inauguraron una efímera fuente de acumulación para los comerciantes del Valle Central. Las manchas de brasiles, sin embargo, eran –en contraste con Nicaragua– escasas en Costa Rica y se agotaron velozmente. Los árboles sobrevivientes, al quedar cada vez más lejos de la playa, se volvieron poco atractivos, dado que la mayor distancia dificultaba y encarecía su embarque.

El afán por alcanzar una vinculación estable con el mercado mundial se logró únicamente con el café. El grano de oro se expandió decididamente en el Valle Central a partir de 1830, aunque en los inicios el cultivo se concentró en San José. El fruto se exportó primero a Chile (de donde era enviado, vía Cabo de Hornos, al creciente mercado británico) y después directamente a Gran Bretaña, lo que supuso la consolidación del comercio exterior costarricense. El volumen exportado se elevó de 8.341 a 96.544 quintales entre 1840 y 1848. La producción cafetalera, estimulada por un crédito barato y creciente, transformó la agricultura en una actividad capitalista, que supuso la privatización de la

> *...haviendo llegado a las costas de Nicoya con el objeto de cargar palo de Bracil a bordo de una fragata inglesa... ha sido denunciado por introducir clandestinamente efectos y por no haber pagado los impuestos de Anclage y Tonelaje en Puntarenas...*
>
> Capitán inglés, Walter Bridge, septiembre de 1829.

tierra y la conformación de un mercado de fuerza de trabajo asalariada.

Los acaudalados comerciantes de fines del período colonial tendieron a convertirse en los más destacados cafetaleros del siglo XIX. El predominio que alcanzaron se basó en un triple control: el del crédito, ya fuera el corriente, a varios años plazo, y utilizado por los deudores para diversos propósitos, o los préstamos anuales para financiar la cosecha de café; el de la

El Laberinto, hacienda de café cerca de San José.

exportación y la importación del país; y el de la principal tecnología vinculada con el nuevo cultivo: costosos beneficios para procesar el fruto, los cuales utilizaban el método húmedo para descascararlo y darle al grano su apariencia final y sabor básico.

La primera de esas instalaciones fue construida en 1838 por un inmigrante de

Cataluña: Buenaventura Espinach. Los beneficios pronto se convirtieron en emplazamientos estratégicos del control de los cafetaleros sobre la más lucrativa actividad económica del país y en símbolos de ese dominio.

El temprano capitalismo agrario del Valle Central fue influido, sin embargo, por el peso decisivo que tenía el campesinado. La expansión del café tuvo por eje fincas familiares, usualmente con una extensión inferior a las 10 manzanas. El resultado de este condicionante fue que la formación de la nueva economía se caracterizó por una fuerte presión desde abajo. El balance de fuerzas sociales que se configuró en el siglo XVIII impidió que la burguesía expropiara violentamente a los campesinos o los sometiera a servidumbre, como ocurrió en otros países cafetaleros. La única opción que le quedó a los acaudalados fue ejercer un tipo de dominación que asumía la libertad y la propiedad de los sectores populares.

La resistencia pacífica al capitalismo agrario provino, ante todo, de campesinos cuya pobreza les impedía invertir en el café, quienes utilizaron diversos recursos legales para demorar la privatización de los terrenos comunales. La existencia de suelos vírgenes abundantes proporcionó a algunas familias pobres y a parejas jóvenes la oportunidad de prosperar en nuevas áreas, cuando la tierra en sus lugares de origen se encareció debido al cultivo

Tan pronto como el color rojo que toma la fruta al madurar indica que ha llegado el momento de la cosecha, se mandan hombres, mujeres y niños a recolectar las bayas que ponen en grandes montones durante cuarenta y ocho horas para suavizar la pulpa; luego las echan en estanques por los cuales pasa una corriente de agua... después las extienden en la plataforma que tienen todas las fincas de café para secarlas al sol. Pero aun les queda un hollejo interno, que una vez perfectamente secas se quita, en las haciendas pequeñas, haciéndolas majar por las pezuñas de los bueyes, y en las más grandes con molinos hidráulicos que magullan ligeramente las bayas para romper el hollejo, y separándolo después por medio de aventadores.

Robert Glasgow Dunlop, viajero escocés, 1844.

del grano de oro. La opción de migrar que tenían los sectores populares, en un país con un población escasa, limitó la mano de obra asalariada disponible para la actividad cafetalera, por lo que los trabajadores debieron ser atraídos mediantes jornales más altos. El resultado de esta dinámica fue que el campesinado logró mantener su perfil propietario y atrasar el crecimiento de un vasto contingente de proletarios rurales.

Los mismos propietarios de pequeños fundos van, después de terminadas sus reducidas faenas, a emplearse en los trabajos de las grandes haciendas, o a ocuparse con sus carretas o mulas en el acarreo de los frutos...

Francisco Solano Astaburuaga, diplomático chileno, 1857.

La tarea de erigir un apropiado sistema político para esta sociedad que se acababa de independizar y su nueva economía exportadora, no fue sencilla. La Constitución de Cádiz (1812), aprobada en el contexto de la invasión de la Península Ibérica por Napoleón, fomentó la expansión de los cabildos en Hispanoamérica. El proceso precedente condujo a que Costa Rica se caracterizara por una soberanía fragmentada, expresada en distintos ayuntamientos dominados por los comerciantes y autoridades principales, lo cual implicó, a su vez, reforzar las identidades locales. La independencia (1821) dejó en claro que, más que un país, la provincia era un territorio gobernado por cuatro poblaciones afiliadas, pero rivales: Cartago, Heredia, San José y Alajuela.

Los cabildos tenían sus propios planes de cara al futuro. El curso más obvio, en un inicio, era adherirse al imperio mexicano, que envió un ejército para conquistar las áreas de Centroamérica que no se sometieran voluntariamente.

La anexión era favorecida por Cartago y Heredia; San José y Alajuela se oponían y preferían algún tipo de independencia republicana. El conflicto condujo a la primera guerra civil: la batalla de Ochomogo (5 de abril de 1823). La capital, tras la derrota cartaginesa, fue trasladada a suelo josefino.

El cabildo de Cartago.

El sueño imperial de México colapsó en 1823, en tanto que el esfuerzo por crear una república federal centroamericana se intensificaba. La participación de Costa Rica en ese experimento político se prolongó durante la mayor parte de su turbulenta existencia (1823-1840): envió fondos, asumió su parte de la deuda y eligió representantes al Congreso. El destino de la Federación, sin embargo, sería decidido por eventos ocurridos en Guatemala y El Salvador. La sociedad costarricense, en las márgenes de esas profundas divisiones y disputas, logró concentrarse en resolver sus propios asuntos internos.

La batalla de Ochomogo fue seguida por doce años de paz; sin embargo, en 1835 las rivalidades locales estallaron en un segundo conflicto civil (la Guerra de la Liga). La alianza integrada por Cartago, Heredia y Alajuela fue derrotada por San José, que consolidó su posición como cabeza del país. El eje del capitalismo agrario

Cuartel principal de San José, 1858.

era también la capital del Estado de Costa Rica y, luego, de la república homónima, proclamada en 1848, cuando era evidente que el proyecto federal había fracasado.

La creciente inestabilidad política después de 1835 condujo a la primera dictadura del país: la de Braulio Carrillo (1838-1842), la cual combinó la privatización de la tierra con la persecución de la vagancia, y el reforzamiento del gobierno central con el debilitamiento de la Iglesia y las municipalidades. La lucha entre los cabildos principales por definir cuál sería la capital empezó a ser desplazada por la competencia entre distintas facciones políticas por controlar el Poder Ejecutivo.

Los conflictos indicados no impidieron que Costa Rica se exceptuara de las prolongadas guerras civiles que desgarraron a tantos países de América Latina después de la independencia. El carácter breve y esporádico de las batallas entre las poblaciones rivales del Valle Central no estimuló la profesionalización de las fuerzas armadas. La temprana expansión económica, cuyo eje era el café, ofrecía mayores oportunidades para el ascenso social que la carrera militar, y la abundancia de tierras que podían ser colonizadas también limitó el crecimiento del empleo público.

El desempeño del Estado costarricense fue desigual: en 1824, consolidó su soberanía sobre Guanacaste, gracias a que los vecinos del Partido de Nicoya decidieron anexarse a Costa Rica, en vez de a Nicaragua, por esa época en guerra civil; sin embargo, perdió Bocas del Toro en 1836, área que fue apropiada por Colombia (el actual Panamá era entonces territorio

...nuestra milicia es una colección de ciudadanos honrados, pacíficos labradores, artesanos y jornaleros, que entregados honesta y constantemente a sus privadas ocupaciones subsisten de su industria y no tienen más aspiraciones que cumplir con sus deberes domésticos y defender al Estado cuando los llama la ley...

Juan Mora Fernández, jefe de Estado, 1829.

colombiano). La dictadura de Carrillo, en 1841, fue capaz de una demostración de fuerza en el Caribe, al suspender el tributo anual dado a los zambos mosquitos, que eran apoyados por los británicos (el pago se inició en 1779 para evitar que atacaran Matina); y en 1850, el país logró disponer de su propia diócesis, con lo que finalizó su subordinación religiosa al obispado nicaragüense de León.

Catedral de San José, 1858.

El principal éxito diplomático de Costa Rica fue exceptuarse de las devastadoras guerras civiles que caracterizaron a la República Federal Centroamericana. El país, sin embargo, fue afectado por la turbulencia dejada por esos conflictos: tras la decisiva derrota de las fuerzas federalistas en Guatemala en 1840, su líder, el general Francisco

Morazán, desembarcó en Caldera en abril de 1842 con un ejército, y fue apoyado aun por oficiales que se suponían leales a Carrillo. El dictador costarricense, enviado al exilio, fue asesinado en El Salvador en 1845.

La designación de jefe provisional del Estado fue aprovechada por el caudillo hondureño para convertir a Costa Rica en base política y militar de una nueva campaña dirigida a unir Centroamérica. El intento terminó en septiembre de 1842, al rebelarse la plebe josefina. Los sectores populares, con el apoyo de miembros descontentos de las familias principales, derrocaron a Morazán e insistieron en que fuera ejecutado (fue fusilado en la esquina suroeste de lo que es hoy el Parque Central de San José).

El poder central, en las tres décadas después de 1821, tendió a volverse

El domingo 14 de Septiembre resuenan por todas partes las vivas á la santa libertad, nuestro padre San José, Nuestra Señora de los Ángeles y vivan los pueblos unidos. La fuerza de los pueblos no será fácil atinar; pero podré deducir con seguridad que entre armados de palos, machetes, fusiles y piedras, (inclusas) mujeres, pasaba el número de 5.000. Los oficiales muy pocos y casi no eran necesarios...

Crónica de la revuelta popular que derrocó a Morazán, septiembre de 1842.

Morazán desembarca en Costa Rica, 1842.

...hoy [su marido] *la a moquetiado mucho, la a ultrajado y ha varrido el suelo con ella tratándola de puta y callejera porque en la semana que finalisa en uno de los días anteriores a éste ha dejado su esposo un real amarrado en la punta de su pañuelo y la que demanda lo gastó en candelas y manteca, y que hoy como no lo encontró, ha hecho lo que deja dicho...*

Manuela Cordero *versus* su esposo, Vicente Montero, en un tribunal de San José, mayo de 1844.

más fuerte. La expansión de una red de tribunales civiles fue muy importante, ya que pronto comenzó a desplazar a la Iglesia y a las comunidades aldeanas en la canalización de diversas disputas, de asuntos vinculados a la privatización de la tierra a pleitos familiares (las mujeres, en particular, empezaron a utilizar esas cortes para denunciar la violencia doméstica). El cambio indicado, aparte de reforzar la tendencia a resolver los conflictos por vías legales, contribuyó a legitimar las nuevas instituciones republicanas y a profundizar la secularización de la sociedad.

La centralización del poder político se aunó con varias modificaciones en el derecho al voto. La legislación, tras la independencia, se ajustó al modelo de la Constitución de Cádiz, que permitía sufragar a la mayoría de los varones adultos. El sistema electoral era indirecto de tres vueltas: en la primera, los ciudadanos escogían electores; en la segunda, estos últimos seleccionaban a otros representantes; y en la tercera, los anteriores votaban por el jefe de Estado y los diputados.

El Congreso aprobó, en 1825, restricciones económicas para ser elector, las cuales fueron reforzadas por el régimen de Carrillo en 1841. La Constitución de 1844, emitida tras la caída de Morazán, introdujo el voto directo y fijó en 200 pesos la fortuna personal mínima para ser ciudadano. El fracaso de esta experiencia condujo en 1847 a regresar a un sistema indirecto, de dos vueltas, vigente hasta 1913.

Los requisitos de los electores fueron mantenidos y aumentados en 1847 (en adelante, sería obligatorio saber leer y escribir), pero las restricciones sobre los ciudadanos desaparecieron. La exclusión política, sin embargo, pronto fue reintroducida: en 1848, la misma Constitución que declaró a Costa Rica república, despojó de su ciudadanía a miles de costarricenses, y vedó la categoría de elector para otros muchos.

Las tensiones producidas por este giro político fueron agudizadas por la creciente división entre ciudad y campo. El liderazgo de San José, decisivo en determinar el curso de Costa Rica, se evidenció en una dinámica cultura urbana. La riqueza deparada por el café había europeizado los gustos en cuanto a vestuario, alimentos y libros. La diversificación de las diversiones públicas comprendía clases de baile, idiomas y otras especialidades, juegos de billar, peleas de gallos y representaciones escénicas –de operetas a obras de Shakespeare– en el nuevo Teatro Mora. El casco josefino también experimentó un crecimiento en su infraestructura y servicios, con la construcción de edificios de dos pisos y de aceras, la instalación de alumbrado público, el funcionamiento de diligencias y la apertura de oficinas, farmacias y tiendas. La urbe cafetalera encontró su mejor expresión en el eclecticismo europeo del

Gustavo ad Meinecke, Ofrece a precios equitativos. Los mejores Vinos y Licores como también Jamón de Westfalia, Carnes, Patés, Legumbres, Quesos de Holanda y Lymbury frescos, Pescados secos y en aceite, Frutas en almíbar y coñac, Aceitunas, encurtidos, Mostaza, Salzas y otras.

Anuncio en el periódico, *Álbum Semanal*, 24 de abril de 1858.

Pelea de gallos en San José, 1858.

Teatro Nacional, templo de la civilización y el progreso de Costa Rica, el cual fue inaugurado en 1897 con una presentación de la ópera *Fausto*, de Gounod (precedida por los acordes del Himno Nacional costarricense y de La Marsellesa).

La urbanización de las principales poblaciones, y en especial de la capital, estuvo asociada con una expansión de la cultura impresa. La primera imprenta fue traída al país en 1830, y entre ese año y 1849, se editaron unos 17 periódicos y más de 100 libros y folletos. Las municipalidades patrocinaron la instrucción, aunque las de escasos recursos ofrecieron menos servicios educativos, y los hogares pobres rara vez enviaban a sus hijos a las aulas. Las audiencias de lectores, sin embargo, se ampliaron y diversificaron, proceso promovido por el crecimiento de la Casa de Enseñanza de Santo Tomás, abierta como una escuela general en el San José de 1814. La conversión en universidad ocurrió en 1843, una época en que las obras de Adam Smith, Jeremy Bentham y Eugène Sue eran comunes en las bibliotecas de las familias más acaudaladas.

Teatro Nacional en San José, 1909.

La europeización de la burguesía agroexportadora fue promovida por la influencia de inmigrantes del Viejo Mundo. La sociedad costarricense experimentó un temprano proceso de secularización, el cual fue muy visible en los comportamientos, actitudes y gustos de los pudientes. Los políticos y profesionales acogieron con entusiasmo la Ilustración, el liberalismo, la masonería y la ideología del progreso (en su versión capitalista y positivista, más que socialista). Los campesinos y artesanos, en contraste, permanecieron fieles a las identidades locales, basadas en las tradiciones de la aldea o del barrio, las cuales tenían profundas raíces católicas y coloniales. La división cultural supuso una tensión social creciente, la cual se agudizó en la segunda mitad del siglo XIX.

Zapatería Francesa en San José, 1858.

CAPÍTULO 6

CAFÉ, CAPITALISMO Y ESTADO LIBERAL (1850-1890)

El viajero y diplomático estadounidense, John Lloyd Stephens, se acercaba a San José, a lomos de mula, en febrero de 1840. El paisaje que se ofrecía a sus ojos lo sorprendía y agradaba: paz social y cafetales, un fuerte contraste con los escenarios bélicos de Guatemala y El Salvador, por los cuales acababa de pasar. La expansión del café, que el visitante observó, fue estimulada por los elevados precios que prevalecieron durante el siglo XIX, pese a crisis de corta duración. El grano de oro, que inicialmente se concentró en el agro josefino, se extendió después de 1850 por los entornos de Cartago, Heredia y Alajuela.

La colonización agrícola llevó los cafetos todavía más lejos: a partir de la década de 1830, jóvenes parejas

Cogiendo café en Tres Ríos, Cartago, 1920.

campesinas partieron a conquistar tierras vírgenes. El oeste del Valle Central (el espacio entre las actuales ciudades de Alajuela y San Ramón) fue el eje de tal desplazamiento, y en esa área el grano empezó a difundirse luego de 1860. El cultivo experimentó un auge, treinta años más tarde, en los valles del Reventazón y Turrialba, gracias a la terminación del Ferrocarril al Atlántico. El café en el decenio de 1930, se sembraba ya en San Carlos en el norte, en Nicoya en el Pacífico y en Tarrazú en el sur; pero el grueso de la cosecha procedía siempre de San José y sus alrededores.

La actividad cafetalera dinamizó la vida económica y social de Costa Rica. La riqueza que deparó permitió importar

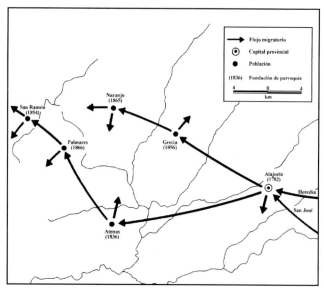

Poblamiento del oeste del Valle Central, 1782-1866.

modas nuevas y tecnologías útiles, estimuló la apertura de vías de comunicación y el mejoramiento de los viejos caminos (en especial, el que conducía de San José a la costa del Pacífico), y contribuyó a diversificar el mercado interno. El café enriqueció a un amplio espectro de pequeños y medianos productores agrícolas que, aparte de ser dueños de su "cafetalito", prosperaron con la venta de víveres y con el transporte –en carreta– del grano desde el Valle Central al puerto de Puntarenas, cuyo casco urbano creció con la expansión vertiginosa del comercio exterior.

Carretas.

Los efectos sociales y políticos del auge cafetalero fueron visibles desde temprano. Los principales perdedores fueron los campesinos pobres, perjudicados por la privatización de las tierras comunales, y los indígenas asentados en el Valle Central, desposeídos al calor de la colonización agrícola. La opción de los aborígenes fue "enmontañarse" (especialmente en dirección a Talamanca), en un proceso que los condenó a un porvenir de exclusión y olvido. El destino de los productores de escasos recursos fue el trabajo asalariado. La proporción de jornaleros en la población económicamente activa subió de un 25 a un 36 por ciento entre 1864 y 1892, y a un 40 por ciento en 1927.

La burguesía agroexportadora, en la cúspide de la jerarquía social,

...los abusos y demasías cometidas a nombre de la legalidad contra la clase sencilla... [víctima del despojo] *para favorecer con terrenos cuya posesión nos pertenece por justos títulos y que hemos hecho justificar con el sudor de nuestra frente a personas identificadas con la Administración, continuas sanguijuelas del tesoro público, especuladores de las calamidades de la clase pobre y parciales y parientes de don Juan Rafael Mora quien sin pudor se apropió de la mejor parte.*

Protesta de los campesinos de Turrúcares de Alajuela, mayo de 1860.

Todos los días se ven quiebras, ejecuciones, ventas de fincas por ínfimos precios y los más se hallan en la necesidad de abandonar su cultivo [el del café] porque en vez de ganancia solo les produce pérdidas.

José María Castro, presidente de la república, abril de 1849.

Juan Rafael Mora Porras. Óleo. Tomás Povedano, 1925.

encontró en el café una temprana fuente de estabilidad y riqueza que consolidó su poder. El futuro, a la altura de 1850, se vislumbraba brillante, ya superada la crisis de 1847-1849, provocada por una baja en la cotización del grano en Europa. La sociedad, con sus casi 100.000 habitantes, era cada vez más compleja y diversa, al tiempo que estaba mejor integrada y era, económicamente, dinámica. La colonización agrícola sustituía el bosque por campos de cultivo y pastos, al tiempo que San José perdía de prisa su perfil de aldea para vestirse de ciudad.

El porvenir, con todo, fue trágico a corto plazo: en 1854, al calor de una guerra civil en Nicaragua, uno de los bandos contrató a un mercenario, o "filibustero", en el lenguaje de la época. El estadounidense William Walker desembarcó en 1855 y pronto tomó control del país; aunque se afirma que desde un inicio su interés era convertir a Centroamérica en una república esclavista, en lo inmediato, su proyecto consistía en dominar el sur nicaragüense y el norte de Costa Rica. El atractivo de ese territorio obedecía a que era considerado estratégico para construir un canal interoceánico, con base en el río San Juan y el Lago de Nicaragua (y una opción mejor que la de Panamá). El presidente costarricense, Juan Rafael Mora (1849-1859) apeló a los gobiernos y sociedades del resto del istmo para sumar fuerzas y expulsar al invasor.

El ejército regular de Costa Rica, complementado con milicias campesinas y artesanas, partió al norte para enfrentar al enemigo. La victoria de esas tropas en Santa Rosa (Guanacaste) el 20 de marzo de 1856 fue seguida por la derrota, en Rivas, de las principales fuerzas de Walker, el 11 de abril. Los costarricenses, al terminar el mes de diciembre, tomaron control, con apoyo de los británicos, del río San Juan, con lo cual impidieron que los filibusteros recibieran refuerzos y suministros. El mercenario estadounidense finalmente capituló el primero de mayo de 1857 (tras otras incursiones en años posteriores, fue fusilado en el puerto hondureño de Trujillo en 1860).

La quema del mesón. Óleo. Enrique Echandi, 1896. El Juan Santamaría de esta pintura, campesino, mulato y patético, escandalizó a los liberales de fines del siglo XIX.

La peor parte de la lucha contra Walker le correspondió a Costa Rica: tras la victoria en Rivas en 1856, el cólera fue traído por las tropas y acabó con casi el 10 por ciento de la población. La caída demográfica y los enormes gastos militares provocaron una crisis económica. La actividad cafetalera fue afectada, entre 1856 y 1858, por la carestía de trabajadores y la contracción del crédito que resultó de la guerra. El país únicamente empezó a recuperarse a partir de 1859.

Los costarricenses tuvieron que pagar un elevado precio para proteger su joven república. El sacrificio que exigió la victoria fue simbolizado por la figura de Juan Santamaría, un humilde trabajador de Alajuela cuyo voluntario acto de coraje, aunque resultó en su propia muerte, cambió el curso de la batalla de Rivas a favor de los suyos. El soldado alajuelense, según la tradición oral, incendió un mesón desde el cual las fuerzas de Walker diezmaban a las tropas de Costa Rica.

La llamada "Campaña Nacional" de 1856-1857 tuvo un epílogo sangriento: Mora, derrocado en 1859, fue fusilado en 1860, cuando regresó al país e intentó tomar el poder de nuevo. La ejecución del ex presidente, aunque excepcional, fue un evento más en las pugnas entre facciones rivales de la burguesía, las cuales, entre 1840 y 1870, apelaron intermitentemente al cuartelazo para desplazar a sus competidores y

...hacíamos nuestra operación de dar fuego [al mesón]*, cuando dirigí la vista hacia Santamaría y ví que dio una media vuelta... e irse de un lado cerrando a la vez los ojos, también noté que el fuego que caía del alero se le prendió en el pelo, le ví correr sangre hacia el cuello y comprendí que estaba muerto.*

Gerónimo Segura, veterano de la Campaña Nacional, agosto de 1891.

dominar el Estado. El país, que tendía a volverse cada vez más complejo en diversos sentidos, exigía superar ese tipo de política, poco profesional y faccionalista, la cual era incapaz de darle coherencia y dirección a la economía nacional.

La transformación de la política comenzó bajo la dictadura del general Tomás Guardia (1870-1882): pese al carácter autoritario del régimen, y de los gobiernos que lo sucedieron –el de Próspero Fernández (1882-1885) y el de Bernardo Soto (1885-1889)–, en esas dos décadas se expandió la administración pública y se configuró un círculo de políticos e intelectuales de orientación reformista. El propósito principal que compartían era modernizar el Estado y la sociedad, y fueron conocidos como "el Olimpo", debido a la arrogancia con que impulsaron sus reformas liberales en el decenio de 1880.

El proceso, al igual que en otros países de América Latina, se orientó a fortalecer el Poder Ejecutivo, expandir la agricultura capitalista y "civilizar" a los sectores populares. La aprobación de nuevos códigos en lo civil y lo penal se aunó con el aumento de los puestos burocráticos y policíacos a lo largo del país. El Estado inauguró el registro de nacimientos, defunciones y matrimonios y, de más importancia, estableció un sistema de enseñanza primaria centralizado, secular, gratuito y obligatorio, dirigido a instruir a los hijos

La vida de los habitantes de Costa Rica es inviolable.

Tomás Guardia, 18 de octubre de 1877.

Tomás Guardia Gutiérrez. Óleo. A. Esttagny, sin fecha.

*...el gran peligro que co-
rre la eterna salvación
de ellos mismos* [los pa-
dres de familia]*, si entre-
gan sus hijos á maestros
y maestras incrédulos,
que por lo mismo son in-
morales...*

Clero de Costa Rica, 1881.

de artesanos, trabajadores y campesinos en nuevos valores y destrezas. El resultado fue un alza en la alfabetización: en la década de 1920, la proporción de personas de 9 años y más que sabían leer y escribir era de 87 por ciento en las ciudades principales, dos tercios en las villas y 58 por ciento en el campo.

Los adalides del progreso –abogados, médicos, educadores y periodistas– empezaron a extender, con mesiánico celo, los valores del patriotismo, el capitalismo, la ciencia, la higiene y la pureza racial. Los sectores populares fueron alentados a ajustar su vida cotidiana al calendario y al reloj, a controlar pasiones y vicios, y a identificarse con el ideal burgués de la familia nuclear como base de la moral y la prosperidad.

La Iglesia católica compartía en parte ese programa reformista, pero en tanto los liberales difundieron una identidad nacional republicana basada en la guerra de 1856-1857 y el sacrificio de Santamaría, los eclesiásticos promovieron a la Virgen de los Ángeles. El culto, de origen colonial y concentrado en Cartago, comenzó a expandirse a partir de la década de 1880. La clerecía, que prefería evangelizar a civilizar, rechazó el ataque liberal a su autoridad, sobre todo en las áreas de la educación y la familia (el matrimonio y el divorcio civiles fueron legalizados en 1888).

La mayoría de los costarricenses apoyó a la Iglesia, aunque el interés de quienes la respaldaron era más que simplemente religioso. El programa liberal suponía reforzar el control administrativo, intensificar la privatización de tierras, perseguir la medicina alternativa (que era más barata) e ilegalizar costumbres consideradas bárbaras (en particular, la pelea de gallos). La lista de agravios era encabezada por el carácter obligatorio de la educación, que complicaba el aporte laboral de los niños a la economía familiar. La resistencia popular a los liberales no terminó en una rebelión abierta, pero estuvo cerca de culminar en eso.

Escuela pública de Liberia, Guanacaste, 1909.

La reforma liberal profundizó una división cultural –visible por vez primera en la década de 1840– entre los sectores acomodados urbanos, con sus intelectuales y políticos cosmopolitas y seculares, y la mayoría de la población. La vía principal para superar este conflicto fue la difusión sistemática, mediante la prensa, el aparato educativo y la estatuaria pública, de una identidad nacional centrada en la Campaña Nacional y la figura de Juan Santamaría. La recuperación de esa experiencia, casi treinta años después de su traumático epílogo, se unió con el énfasis dado a todo lo que, según los liberales, distinguía a los costarricenses del resto de centroamericanos: su laboriosidad, su índole pacífica, su condición de propietarios y, en particular, pertenecer a la raza blanca.

Fiesta de la independencia, cerca de 1895.

El énfasis en la identidad racial de los costarricenses, potencialmente excluyente y discriminatorio, fue compensado, sin embargo, porque el sistema educativo y la política electoral se convirtieron en procesos fundamentales de integración social y cultural. Los límites de la diferenciación con base en la etnia son evidentes en que, pese a ser definida como una sociedad blanca, Costa Rica adoptó como patrona a una virgen oscura, la de los Ángeles, y elevó a un mulato, Juan Santamaría, a héroe nacional.

Procesión de la Virgen de los Ángeles, cerca de 1926.

Los niños y niñas de distinto origen étnico, dada esa tendencia integradora, compartían las mismas aulas, y a medida que la competencia electoral se

Santiago Córdova... de Heredia... labrador, ante Vuestra Excelencia [Juan Rafael Mora] sumisamente llego a esponer que, la Junta Calificadora de mi vecindario, me ha inferido el notorio agravio de no inscribirme en la lista de ciudadanos calificados... la única razón que ha tenido la honorable Junta para negarme el goce de ciudadano es la de asegurar que no soy dueño de una propiedad raíz que llegue al valor de trescientos pesos, según lo exige... la Novísima Constitución [1848]... me sepulta la Junta de un solo golpe, condenándome a vivir aislado fuera de la sociedad y sin ese dulce nombre de ciudadano de la patria.

Santiago Córdova, 25 de febrero de 1859.

consolidó, los partidos optaron por apelar y movilizar a todos los votantes posibles, independientemente del color de su piel. El censo electoral de 1885 patentiza que Guanacaste y Puntarenas, donde el origen indígena y mulato era más común, tenían mayores proporciones de varones adultos inscritos para sufragar que las provincias "blancas" de San José y Cartago.

La restricción de la ciudadanía, dispuesta en la carta de 1848, fue uno de los factores que contribuyó a la caída de Juan Rafael Mora, cuyo gobierno no se interesó por variar esa tendencia excluyente. El texto constitucional de 1859, aprobado tras el golpe de Estado de ese año, prácticamente estableció el sufragio universal masculino para los comicios de primer grado y disminuyó los requisitos para ser elector. La Constitución de 1871 que, con breves suspensiones, estuvo vigente hasta 1948, consolidó esos cambios La decisiva expansión del derecho al sufragio estimuló una creciente participación popular en la política en la década de 1860, pero tal proceso fue interrumpido por el carácter autoritario que asumió la sucesión presidencial entre 1870 y 1885.

Las elecciones de diputados y munícipes, durante la dictadura de Tomás Guardia y el período de Próspero Fernández no desaparecieron, pero el gobierno impidió que comicios periódicos y competitivos se convirtieran en una vía para alcanzar el Poder Ejecutivo.

Cuartel de Alajuela, 1909.

La política empezó a cambiar en la administración de Bernardo Soto: en 1889, el Olimpo intentó mantenerse en el poder por medio del fraude, tras perder la votación presidencial de primer grado frente al aspirante apoyado por la Iglesia, José Joaquín Rodríguez. Los campesinos y artesanos, alentados por los eclesiásticos, tomaron las armas para defender el resultado de las urnas y rodearon la capital. La guerra civil fue evitada únicamente después que el mandatario aceptó un compromiso que le permitió al candidato de la oposición consolidar su victoria.

El levantamiento popular del 7 de noviembre de 1889 es, a veces, considerado como el origen de las prácticas democráticas en Costa Rica. El enfoque

El grito de somatén se propagó a viva voz por las poblaciones circunvecinas... En tres horas fueron... rodeando a San José, cosa de 7,000 hombres, sin contar con los de Cartago, que se concentraron sobre aquella ciudad en número de cerca de 3,000 ni con los de Santo Domingo y Heredia, que obraron sobre la segunda de dichas poblaciones en cuantía como de cerca de 2,000.

Crónica del levantamiento del 7 de noviembre, *La Prensa Libre*, 13 de noviembre de 1889.

precedente es cuestionable, pero la campaña de 1889 fue, sin duda, la primera en que dos partidos políticos compitieron hasta el final y el de oposición venció en las urnas. El presidente Rodríguez y su sucesor y yerno, Rafael Iglesias, inauguraron un nuevo paréntesis autoritario a corto plazo (1890-1902). Los adversarios del gobierno, sin embargo, permanecieron activos en esos años y pudieron competir, con sus propias organizaciones, en comicios periódicos, gracias a los cuales fortalecieron su posición en la esfera pública y en el sistema político (Congreso, municipalidades). La transición a una democracia electoral estaba en marcha.

El salón del viejo Congreso de Costa Rica, 1909.

CAPÍTULO 7

DIVERSIFICACIÓN CONFLICTO Y DEMOCRACIA (1890-1930)

La venta de café supuso casi el 90 por ciento del valor de lo exportado por el país entre 1850 y 1890. El predominio del grano de oro sería desafiado por el banano, cuyo cultivo fue un resultado indirecto del auge cafetalero. La impenetrable geografía que separaba el Valle Central del Caribe condujo a orientar por el Pacífico casi todo el comercio exterior de Costa Rica, en contraste con el encauce europeo de su economía y cultura. La dictadura de Guardia, en la década de 1870, procuró resolver tal desequilibrio al contratar dos importantes empréstitos con casas financieras inglesas para construir el llamado Ferrocarril al Atlántico.

La obra, sin embargo, no se completó debido a dificultades técnicas,

El ferrocarril en el Valle Central, cerca de 1873.

No es de sorprenderse que un pueblo como el Costarricense, que no tiene mayores gustos que los triunfos de la paz y los provechos del trabajo i del comercio, haya visto con entusiasmo la primera lomocotiva, jalada por bueyes desde la costa del Pacífico, entrar por las calles de Alajuela á una altura de 4,200 pies sobre el nivel del mar. Llegó adornada con banderas i acompañada por bandas de música, como los conquistadores en otros tiempos, hasta la estación del ferrocarril, á donde la siguieron la muchedumbre de aquellos vecinos i los principales habitantes.

El Ferrocarril, 6 de abril de 1872.

falta de fondos y corrupción (el país sólo aprovechó uno de los 3.4 millones de libras solicitados). El gobierno de Próspero Fernández, escaso de opciones, firmó en 1884 un contrato con Minor C. Keith, en el cual ese empresario estadounidense se comprometía a renegociar la deuda inglesa y a terminar la vía férrea, a cambio de que el ferrocarril se le cediera a una empresa financiera británica por 99 años, la cual disfrutaría también de facilidades portuarias en Limón, y de que a él –que era accionista de esa compañía– se le otorgarían vastas extensiones de tierra en el Caribe (casi 458.000 manzanas).

La estrategia de Keith consistió en financiar parte de la obra ferroviaria con el cultivo del banano y su exportación al mercado estadounidense, un proceso que culminó en 1899, con su papel en la fundación, en Boston, de la United Fruit Company. La empresa, que se extendió velozmente por el Caribe y monopolizó la actividad bananera, era la cara económica del imperialismo norteamericano. El perfil político y militar de ese poder se evidenció en la guerra contra España de 1898, que deparó a Washington el control de Puerto Rico y Cuba. La supremacía de Estados Unidos se consolidó al patrocinar que Panamá se independizara de Colombia (1903), intervención que le otorgó derechos exclusivos para construir el canal interoceánico, que se inauguró en 1914.

La soberanía nacional costarricense, defendida con éxito en 1856-1857, evidenció sus límites a comienzos del siglo XX, al convertirse Costa Rica en espectadora fronteriza del predominio hemisférico de Estados Unidos: en el Caribe, la United Fruit Company; en el sur, Panamá y el canal; y en el norte, Nicaragua, ocupada militarmente (1912-1934). El peso de Washington en la vida económica y política del país fue cada vez más decisivo a partir de esta época, una dependencia que se profundizó tras las guerras mundiales de 1914-1918 y 1939-1945.

La construcción del ferrocarril, entre 1870 y 1890, condujo a los distintos contratistas a importar miles de trabajadores foráneos: chinos, italianos y afrocaribeños (en especial de Jamaica). Los

Cargando banano, 1909.

Según mi madre, nací un domingo al mediodía, el primer día de marzo de 1908. Vivíamos en Siquirres... Mi padre trabajaba para la United Fruit Company y mi madre horneaba y hacía muchas cosas más. Era partera también... Venía entrenada desde Jamaica. Mi padre era capataz... se vino de Jamaica como tantos otros, viajando de un lado a otro. En esos tiempos uno podía ir de aquí para allá y nadie le preguntaba nada.

Joseph Spencer, vecino de Cahuita, Limón, febrero de 1976.

que sobrevivieron a condiciones laborales insalubres y peligrosas, y optaron por quedarse, tendieron a ocuparse en la actividad bananera, en los muelles de Limón y en la agricultura y el comercio a pequeña escala. El auge exportador también atrajo a inmigrantes del Valle Central, Guanacaste y Nicaragua.

La existencia en el Caribe de un enclave dominado por una empresa de Estados Unidos estimuló el antiimperialismo inicial de ciertos políticos e intelectuales costarricenses. La ansiedad racista no fue ajena a esa inquietud, dado que en Limón prevalecía una población negra, anglófona y protestante. La expansión de la United Fruit Company, entretanto, fue catastrófica, en especial tras 1908, para los indígenas bribris de Talamanca y Sixaola. El universo bananero se convirtió, por tanto, en la zona del país étnica y políticamente más compleja.

El valor de las exportaciones de banano igualó al del café en la década de 1910. El apogeo de la actividad se ubicó entre 1890 y 1914; después de este último año, el precio de la fruta empezó a caer, subió luego de 1920 y se desplomó a partir de 1927. La estrategia productiva depredatoria de la United Fruit Company explica este ciclo de alzas y bajas. La utilidad de la empresa, que operaba a escala internacional, dependía de la explotación sistemática de suelos vírgenes, adquiridos por poco dinero o gratuitamente.

La compañía, al agotarse la tierras o ser invadidas por las enfermedades, optaba simplemente por abandonarlas e iniciar el cultivo en nuevas áreas. El principal desplazamiento de esa índole ocurrió en la década de 1930, cuando la corporación se trasladó al Pacífico sur costarricense (con efectos devastadores para la provincia de Limón) y la actividad bananera experimentó otra fase de veloz crecimiento.

La diversificación de las exportaciones, iniciada con el banano, abarcó otros productos de inferior importancia, cuyo auge se ubicó a partir de 1914. El azúcar de caña, otrora asociado con la finca campesina y el tecnológicamente modesto trapiche, tendió a concentrarse en explotaciones capitalistas y a ser procesado en complejos

Ingenio de azúcar en Juan Viñas, Cartago, 1922.

y costosos ingenios. El cacao experimentó un nuevo auge, que fue controlado por la United Fruit Company. El oro y la plata, a su vez, fueron extraídos de vetas en los Montes del Aguacate y en la Cordillera de Guanacaste por compañías foráneas, entre cuyos accionistas destacaba Minor C. Keith.

La exportación de madera fue importante en Guanacaste, ya que la tala, en tanto permitía ampliar los pastizales, deparaba fondos para invertir en mejores especies de pasto y de sementales. El crecimiento de la ganadería extensiva en el Pacífico norte fue estimulada por los altos precios alcanzados por el ganado en el Valle Central, donde el café comenzó a desplazar al potrero después de 1840. La privatización de enormes extensiones territoriales, entre 1890 y 1930, convirtió a los

Corral El Viejo, Guanacaste, 1909.

pobladores guanacastecos, cuyas fuertes raíces indígenas y mulatas se combinaban con una cultura "sabanera", en un campesinado pobre, falto de tierra y con escasas opciones de empleo.

Los valles de Turrialba y Reventazón fueron escenario de la formación de vastas haciendas, dedicadas a la ganadería y al cultivo de caña de azúcar y café, y empleadoras de trabajadores con poco acceso a la propiedad de la tierra. El paisaje social de esta área periférica era muy distinto del prevaleciente en el centro y el oeste del Valle Central, donde la vida rural se basaba en fincas familiares, evidencia del éxito de la colonización agrícola campesina.

La burguesía del café, que consolidó su control sobre el crédito al abrir los primeros bancos del istmo después de 1860, diversificó sus intereses al invertir en el azúcar, el banano, el cacao, la ganadería, la minería y la pequeña industria. El capital foráneo, aparte de participar en esas actividades (algunas de las cuales dominó), controló servicios estratégicos del universo urbano: electricidad, telefonía y tranvía. El Estado, en contraste, construyó un ferrocarril a Puntarenas (1897-1910), el cual fue electrificado en la década de 1920.

Mina de oro en Abangares, Guanacaste, 1922.

La diversificación capitalista fue a la par de un conflicto social creciente. El Caribe, durante la construcción de la línea ferroviaria, fue epicentro de las huelgas de chinos (1874), jamaiquinos (1879 y 1887) e italianos (1884), las

...los grandes terratenientes... en su ambición ilimitada de abarcar tierras, no tienen compasión ni de la indigente condición de nuestras familias... hemos podido presenciar desde el año mil novecientos ocho, la destrucción de grandes caseríos formados a costa de grandes miserias.

Campesinos de Quebrada Grande y Guardia, Guanacaste, junio de 1921.

cuales fueron seguidas por otras, protagonizadas ya por trabajadores bananeros en 1910, 1911, 1913, 1919 y 1921. La provincia de Guanacaste presenció protestas similares en las áreas mineras de Abangares y Tilarán en 1906, 1907, 1911, 1919 y 1920, y revueltas campesinas contra la privatización y la concentración de la tierra, en especial entre 1920 y 1922.

La violencia que caracterizó la confrontación social en las áreas periféricas, con saldo a veces de muertos, fue excepcional en el Valle Central, donde la canalización institucional de la conflictividad era la norma desde el siglo XVIII. El período 1880-1930 se distinguió por la diversificación de las experiencias de lucha: los últimos esfuerzos de los campesinos pobres y de los indígenas en defensa de la tierra comunal; la presión cada vez más fuerte de los pequeños y medianos caficultores para que los beneficiadores les cancelaran el café a mejor precio; y la organización y los afanes de los artesanos y obreros urbanos en pro de elevar sus salarios y disminuir la jornada de trabajo.

El Poder Ejecutivo enfrentó el desafío popular con una represión limitada, al tiempo que el Estado, en su conjunto, empezaba a intervenir, con decisión y en momentos críticos, en la vida económica y social del país, ya fuera para regular las relaciones laborales o para ejecutar pequeñas y localizadas reformas agrarias. La atención prestada por los gobiernos a las demandas de campesinos, artesanos y trabajadores no era casual. La democracia, tras las administraciones autoritarias de José Joaquín Rodríguez (1890-1894) y de Rafael Iglesias (1894-1902) experimentó avances importantes. El voto directo fue aprobado en 1913 y, entre 1925 y 1927, fue introducido el sufragio secreto, cambios que, promovidos por el presidente Ricardo Jiménez, fortalecieron la posición de los votantes frente a los partidos políticos.

Sociedad de Artesanos de Costa Rica, cerca de 1924.

Los avances democráticos coexistieron con irregularidades en las urnas y pactos secretos. El resultado de los comicios usualmente no fue determinado por el fraude, el cual, de 16 elecciones efectuadas entre 1890 y 1948, tuvo un peso decisivo en cuatro (1894,

1906, 1923 y 1948). El único golpe de Estado del período ocurrió en 1917, cuando Federico y Joaquín Tinoco derrocaron al presidente Alfredo González Flores (1914-1917), cuyo gobierno reformista acababa de establecer un banco estatal y de introducir la tributación directa. La dictadura fue derribada por una coalición cívica en 1919, cuya victoria aceleró la decadencia del ejército y la expansión de la policía, un proceso reforzado por el pobre desempeño de los militares costarricenses en 1921, durante una guerra con Panamá provocada por una disputa limítrofe.

Cleto González Víquez en campaña electoral, cerca de 1927.

La gradual integración política de campesinos, artesanos y trabajadores proporcionó una base sólida para la invención de la nación en Costa Rica. Los dos procesos se reforzaron mutuamente.

Los sectores populares no eran ciudadanos únicamente en los discursos oficiales, sino en la práctica electoral, la cual fue el eje de una estratégica conexión entre demandas sociales y gestión gubernamental que impactó el presupuesto del Estado.

Los gastos en educación, salud, pensiones y obras públicas (que incluían también infraestructura escolar y sanitaria) ascendieron de 24 por ciento del presupuesto nacional entre 1890 y 1901 a 39 por ciento entre 1920 y 1929. La fundación de dos partidos políticos no tradicionales reforzó tal tendencia: el Reformista (1923), liderado por el populista carismático, Jorge Volio, y el Comunista (1931), dirigido por Manuel Mora. Esta última organización participó en los comicios de las décadas de 1930 y 1940 y, pese a que inicialmente experimentó alguna persecución, logró capturar asientos en el Congreso y en las municipalidades, al tiempo que constituía importantes bases de apoyo entre los asalariados urbanos y los trabajadores bananeros.

La misión civilizadora de los liberales tuvo un resultado paradójico: en 1930, una mayoría de los 500.000 costarricenses sabía leer y escribir, aceptaba los valores y los símbolos del nacionalismo y participaba en las campañas electorales. El primer tercio del siglo XX, sin embargo, se caracterizó por el desgaste de la ideología del progreso. La comunidad de artistas, escritores,

...la fortaleza del gobierno depende mucho menos del ejército que del rechazo del pueblo en general a cualquier intento por destituir en forma desordenada a las autoridades legítimas, ya que el ejército en sí es una fuerza militar casi insignificante. Hay algunas tropas en las barracas de la capital, pero en otras partes se mantiene el orden mediante la policía civil. Los costarricenses orgullosamente hacen alarde de que el gobierno emplea más maestros que soldados.

Dana Gardner Munro, 1918.

Joaquín García Monge y su esposa, Celia Carrillo, cerca de 1909.

intelectuales y científicos, que ascendió entre 1860 y 1890, dedicó sus esfuerzos a legitimar la república del café, usualmente con nostalgia. La generación configurada a partir del decenio de 1900 tuvo entre sus figuras más destacas a los poetas Roberto Brenes Mesén y José María Zeledón (autor de la letra del Himno Nacional), al novelista Joaquín García Monge, editor entre 1919 y 1958 del internacionalmente respetado *Repertorio Americano* (una revista que contribuyó a difundir en el exterior la imagen de Costa Rica como una sociedad blanca), y a la escritora y futura líder comunista, Carmen Lyra. Los jóvenes radicales de inicios del siglo XX avizoraron debajo del grano de oro una agudizada "cuestión social": burgueses corruptos y egoístas, y trabajadores pobres a los que urgía redimir mediante una educación apropiada.

El vínculo de esos intelectuales con los artesanos y obreros contribuyó a radicalizar la cultura trabajadora. El eje de la industria de los años 1890-1930 era el taller más que la fábrica. Los operarios laboraban por un sueldo, pero su destreza –como zapateros, ebanistas, sastres, tipógrafos, panaderos y albañiles, entre otros oficios– era esencial para la producción; además, tenían una relación cara a cara con sus patronos. Los asalariados, entre los cuales circulaban ideas anarquistas y socialistas, disponían de sus propios clubes, asociaciones, sindicatos y periódicos.

El primero de mayo lo empezaron a celebrar en 1913 y, en febrero de 1920, organizaron, en pro de la jornada de ocho horas y de un alza salarial, las huelgas más importantes del período.

Fábrica de calzado, 1909.

La Iglesia, el Estado liberal y los jóvenes radicales compartían la obsesión de evangelizar, civilizar y redimir a campesinos, artesanos y trabajadores. La fuente de este deseo era un profundo rechazo de sus culturas, cuyo perfil irreverente y plebeyo preocupaba en extremo a eclesiásticos, políticos, capitalistas e intelectuales. El esfuerzo por transformar a los sectores populares condujo a establecer una red de iniciativas de control y bienestar social, que incluía asilos, hospitales, prisiones –entre las cuales destacó la Penitenciaría, abierta en 1909– y nuevos ministerios, como Salubridad Pública (creado en 1927) y Trabajo (inaugurado en 1928). El año 1910 supuso el inicio de una campaña contra la anquilostomiasis que fue apoyada por la Fundación Rockefeller a partir de 1914; en 1913, empezó el programa de La Gota de Leche, para asistir a las madres pobres en la alimentación de sus niños; y en 1930 fue fundado el Patronato Nacional de la Infancia.

El Estado costarricense, lejos de practicar el *laissez-faire*, desde finales del siglo XIX comenzó a intervenir sistemáticamente en la sociedad y la cultura, por medio de la educación. El énfasis dado a la salud y a la higiene evidenciaba la preocupación liberal por la alta tasa de mortalidad infantil en un país con una población pequeña. La escasez había conducido a importar mano de obra que era considerada étnicamente indeseable, en particular la de los afrocaribeños. El origen de una política social que figura entre las más avanzadas de América Latina tuvo, por tanto, una motivación eugenésica, estrechamente vinculada con el énfasis en una identidad nacional racialmente blanca.

El esfuerzo de los políticos, eclesiásticos e intelectuales por transformar el comportamiento y las visiones de mundo de sus inferiores sociales, especialmente mediante la educación,

Solón Núñez, promotor de la salud pública, 1910.

Acostumbro bañarme todos los días. ¿Por qué? El día que por motivo justo no me baño, lo paso triste, malhumorado y sin deseo de trabajar.

Solón Núñez, *Mi catecismo higiénico*, 1926.

fue resistido y tergiversado por campesinos, artesanos y trabajadores, quienes se apropiaron de lo que consideraban útil, y el resto lo descartaron o lo adaptaron según les convino. El Estado publicó, después de 1880, miles de folletos agrícolas, científicos, históricos y de higiene para distribuir entre las familias populares urbanas y rurales. Los lectores de tal origen social, acogieron esa refinada literatura, al tiempo que devoraban los periódicos de la época (cuya tendencia amarillista no era excepcional), se entretenían con novelas de aventuras y del corazón y, ocasionalmente, se instruían con escritos de orientación anarquista o socialista.

El ascenso de la cultura de masas complicó todavía más la misión civilizadora de las jerarquías sociales. El teatro, que contribuyó a la secularización social ansiada por los liberales, fue desplazado por el cine, que se expandió vertiginosamente después de 1914. El país, al empezar la década de 1930, experimentó el exitoso inicio y la posterior expansión de la radio.

La cultura de masas se benefició de algunos sorprendentes aportes locales; pero tal contribución fue, en esencia, ocasional y limitada. El fútbol, en su origen parte de la cultura solidaria de los trabajadores urbanos, comenzó a convertirse en una diversión masiva en el decenio de 1920. La música popular, por esa misma época,

¿Películas? Para cada gusto. La mayoría provienen de Estados Unidos, se presentan en inglés y en español, y los distintos teatros siempre están llenos. La audiencia libremente simpatiza con la escena que contempla, o la desaprueba. Recuerdo que en "The Heart of Humanity" el villano resultó bien silbado. La orquesta también es objeto de los juicios de la audiencia.

Nina Weisinger, maestra estadounidense, 1921.

El matrimonio se efectuó [en 1937]*; coloqué el anillo a mi esposa y la misa terminó... Salimos del templo y nos dirigimos al Centro Obrero donde compartiríamos con padrinos y acompañantes el queque, un café y alegre baile, amenizado por la Orquesta Lubín Barahona.*

Juan Rafael Morales, zapatero y líder sindical, 1993.

tendió a diversificarse. El predominio de marimbas y guitarras en cantinas, y de las filarmonías en los parques, empezó a ser desafiado por la formación de conjuntos y orquestas y la apertura de salones de baile y de los primeros estudios de grabación (varias canciones de Ricardo Mora se convirtieron en éxitos latinoamericanos luego de 1940). El noticiario cinematográfico se inició en la década de 1910, cuando Amando Céspedes empezó a proyectar sus filmes en los tempranos cines del país; y en noviembre de 1930, fue el estreno mundial, en el teatro Variedades, de *El retorno*, el primer largometraje costarricense.

Los sectores populares, que descubrieron en la cultura de masas una fuente para revalorizar algunas de sus propias costumbres y creencias, aprovecharon su creciente alfabetización y sus derechos políticos para asociar la identidad nacional con contenidos promovidos por la generación de intelectuales radicales de 1900: la justicia social, la pequeña propiedad territorial y la paz. La índole pacífica de los costarricenses empezó a ser destacada como una característica del país desde inicios del siglo XIX; cien años después, tenía un nuevo significado: aparte de resaltar la diferencia entre Costa Rica y el resto de Centroamérica, enfatizaba el papel jugado por el ejército de educadores contra los militares que respaldaron la represiva dictadura de los Tinoco y fracasaron en la guerra de 1921 con Panamá.

La creciente feminización de la ocupación docente, en especial en primaria, fue clave para el éxito de ese nuevo contenido. Las mujeres fueron cruciales en el proyecto liberal dirigido a civilizar a los sectores populares vía la difusión de valores como la disciplina, el patriotismo, el trabajo y la higiene. La ejecución de esa tarea y su participación en juntas de caridad, organizaciones de damas vicentinas o en programas filantrópicos como La Gota de Leche, las condujo a convertir cualidades femeninas –ante todo la maternidad– en valores cívicos. El proceso originó que en 1932 se inventara el día de la madre costarricense. La decisiva movilización de profesoras y alumnas, en junio de 1919, contra los Tinoco, la cual aceleró la caída de la dictadura, evidenció los nuevos papeles públicos que estaban dispuestas a asumir.

La experiencia precedente fue una de las bases de la fundación, en 1923, de la Liga Feminista Costarricense (aunque curiosamente su figura emblemática, Ángela Acuña, fue una entusiasta partidaria de los Tinoco). La nueva organización se movilizó exitosamente contra la discriminación salarial a favor de los varones en el sistema educativo, pero no logró que el Congreso aprobara el voto femenino en 1925. El fracaso obedeció, en parte, a que las dirigentes fueron reacias a

Maternidad. Escultura en piedra. Francisco Zúñiga, 1935.

Ayudar a las madres de escasos recursos, de cualquier religión, a alimentar a sus hijos desde un día hasta dos años de edad. No se hará distinción entre madres casadas y solteras, puesto que la meta principal de la sociedad es conservar niños para el país.

Estatutos de la Sociedad La Gota de Leche, 1913.

incorporar trabajadoras a sus luchas; y en parte, a que una reforma de esa magnitud implicaba un enorme grado de incertidumbre electoral, el cual resultó inaceptable para los líderes de los partidos y sus representantes legislativos. La índole democrática del país se constituyó, irónicamente, en un obstáculo para universalizar el sufragio, derecho que únicamente fue alcanzado por las mujeres en 1949, en un contexto político bastante autoritario.

Los procesos anteriores tuvieron por escenario una cultura urbana capitalina en vías de crecimiento y diversificación.

El voto para las mujeres. El día que lo tengan. Caricatura. Paco Hernández, julio de 1923.

El San José de inicios del siglo XX fue considerado una "metrópolis en miniatura" por un visitante de Estados Unidos. La descripción no carecía de fundamento. El casco josefino deslumbraba a los extranjeros con sus instituciones nacionales (el Archivo, la Biblioteca, el Museo y el Teatro), sus edificios escolares y colegiales, sus parques, paseos y estatuas, sus almacenes y librerías, su vida bohemia, sus numerosos periódicos y su activo quehacer cultural.

La ciudad fue testigo de impresionantes presentaciones escénicas y de danza (Ana Pavlova bailó en el Teatro Nacional en 1917), y de memorables interpretaciones de música clásica: entre 1894 y 1929, fueron organizadas

San José es una ciudad encantadora entre las de la América Central. Sus mujeres son las más lindas de todas las cinco repúblicas. Su sociedad es una de las más europeizada y norteamericanizada.

Rubén Darío, 1891.

Librería Española, 1922.

seis orquestas sinfónicas y el tenor costarricense, Melico Salazar, triunfó en el exterior. Los logros indicados eran el orgullo de una burguesía europeizada y de círculos de científicos, artistas e intelectuales (algunos radicales).

El espacio público, sin embargo, era disputado por un variado conjunto de artesanos y trabajadores especializados, y un submundo de pobres, prostitutas y criminales, llamados en esos años "apaches". El perfil más plebeyo e irreverente de esa cultura popular urbana, cuyo eje eran billares

Pregonero. Óleo. Rigoberto Moya, 1929.

y cantinas, se expresaba en el lenguaje soez, el consumo de alcohol y el uso de estupefacientes.

El opio y la marihuana, cuyo uso no era aún claramente ilegal, fueron consumidos por un significativo número de costarricenses desde finales del siglo XIX. El empleo de alcaloides se extendió después de 1900, gracias a la expansión de las prescripciones médicas y de las farmacias. La adicción a la morfina no fue inusual en ciertos círculos de la burguesía, y en 1929 San José fue sacudida por un pánico moral, al descubrirse que cientos de jóvenes artesanos y obreros utilizaban heroína. La existencia, además, de laxos controles de importación y exportación convirtieron a Costa Rica en un puente importante en el tráfico internacional de narcóticos.

La presidencia, durante las primeras cuatro décadas del siglo XX, fue dominada por dos políticos: Cleto González Víquez (1906-1910 y 1928-1932) y Ricardo Jiménez Oreamuno (1910-1914, 1924-1928 y 1932-1936). El encanto europeo de San José, durante esta época, tenía un asiento frágil: una economía poco diversificada, dependiente y en la cual el crecimiento, de tipo extensivo, se basaba en la incorporación de más tierra y fuerza de trabajo, sin un cambio tecnológico sistemático. El ascenso social era extremadamente limitado y el abismo entre la burguesía de un lado y los sectores

Eso [quiénes son los grandes distribuidores de heroína] *todo el mundo lo sabe y solamente nosotros los que no tenemos dinero para defendernos somos los que sufrimos persecuciones y arrestos, los que trafican tienen las puertas abiertas para defenderse.*

Zapatero josefino, 1933.

medios y populares del otro, tendía a ampliarse, un proceso que se intensificó después de 1927. La baja en los precios de las exportaciones, a partir de este último año, fue el preludio de un colapso profundo e inminente.

Cleto González Víquez (1906) y Ricardo Jiménez Oreamuno (cerca de 1910), los príncipes del Olimpo costarricense.

CAPÍTULO 8

DEPRESIÓN, REFORMA SOCIAL Y GUERRA CIVIL (1930-1950)

La Costa Rica liberal se construyó sobre el principio de que, dejadas sin control las fuerzas de la oferta y la demanda, una economía capitalista basada en la exportación agrícola traería el progreso y la civilización para todos. El desplome de la bolsa de Nueva York en 1929 y la depresión global posterior acabaron con esa certidumbre. El profundo descrédito del dogma del libre mercado facilitó el éxito de una nueva filosofía, cuyo eje era una creciente intervención del Estado.

El valor en dólares de lo exportado por Costa Rica cayó de 18 a 8 millones entre 1929 y 1932, y el de lo importado bajó en esos años de 20 a 5 millones. La crisis del comercio exterior, al afectar los impuestos de aduana, se trasladó al Estado, que padeció

Cogedores de café cerca de San José, 1922.

...llegué a la finca denominada "El Bosque" y me encontré siempre con el malestar de los trabajadores, por el pago miserable de los sueldos y la forma indecorosa de hacerlos; que ellos habían dirigido un memorial al Gerente de la Compañía y otro al señor Presidente de la República, exponiéndoles sus congojas y la vida azarosa que llevaban; ninguno de los dos... les contestó una palabra y yo entonces les manifesté que el único medio que les quedaba era lanzarse a la huelga general...

Carlos Luis Fallas Sibaja, octubre de 1934.

un agudo déficit fiscal entre 1929 y 1936. Las familias campesinas se exceptuaron de los peores efectos de la depresión que, en contraste, golpeó fuertemente a todos los asalariados.

Las principales protestas populares, durante la crisis, fueron protagonizadas por operarios urbanos y obreros bananeros, base electoral del joven Partido Comunista: en 1933, una marcha de desocupados en San José culminó en un violento enfrentamiento con la policía, y entre agosto y septiembre de 1934, la actividad de la United Fruit Company en el Caribe fue paralizada por una huelga de miles de trabajadores liderados por la organización indicada.

La intervención del Estado en la economía, en vista de las circunstancias, se amplió considerablemente: el Instituto para la Defensa del Café, que medió entre caficultores y beneficiadores, se fundó en 1933; en 1935, se aprobó el salario mínimo para los jornaleros; y en 1936 se efectuó una reforma bancaria que fortaleció el control estatal de la oferta de dinero. La suspensión del servicio de la deuda externa liberó fondos para importar productos esenciales e incrementar los gastos del gobierno. El financiamiento de obras públicas, con el propósito de disminuir el desempleo, se triplicó entre 1932 y 1939, y prácticamente definió la administración de León Cortés (1936-1940), que fue conocida como la del "cemento y la varilla".

La depresión, pese a sus costos sociales, fomentó una modesta expansión industrial (en sustitución de importaciones); además, las décadas de 1930 y 1940 fueron una época culturalmente fértil. Las exposiciones anuales de artes plásticas, efectuadas entre 1928 y 1937, patrocinaron el ascenso de una escultura que se inspiraba en el pasado indígena, campo en el que destacaron Juan Manuel Sánchez y Francisco Zúñiga, y de una pintura que se concentró en el paisaje rural del Valle Central, en especial en la casa de adobes. La novelística social, a su vez, alcanzó un esplendor con obras que enfatizaban en las estrategias de supervivencia y las formas de lucha de campesinos y trabajadores. El más célebre de esos textos

Casa de adobes. Óleo. Fausto Pacheco, sin fecha.

es *Mamita Yunai* (1941), del líder sindical comunista Carlos Luis Fallas, el cual dibuja lo que era la vida cotidiana en el imperio caribeño de la United Fruit Company.

El Partido Comunista celebra la publicación de *Mamita Yunai*, julio de 1941.

La economía empezó a recuperarse en 1936, a medida que la cotización del café se estabilizaba y la actividad bananera se expandía en el Pacífico sur; sin embargo, el estallido de la Segunda Guerra Mundial, en 1939, detuvo la mejora. El cierre de los mercados europeos, destino del 50 por ciento de la exportación de Costa Rica, reorientó el comercio exterior hacia Estados Unidos, que compraba el grano de oro a un precio inferior y no podía absorber todos los embarques de banano.

El deterioro fiscal no impidió que un ambicioso programa de reforma fuera emprendido por el gobierno de Rafael Ángel Calderón Guardia (1940-1944). La Universidad de Costa Rica se fundó en 1940, en 1941 se estableció la

Caja Costarricense de Seguro Social, y en 1943 se agregó un capítulo de Garantías Sociales en la Constitución y se aprobó el Código de Trabajo. El alcance de esta transformación fue limitado a corto plazo, pero sentó las bases del Estado de bienestar, a la vez que intensificaba la inestabilidad política.

El origen de la reforma social partió, sin duda, de la tradición intervencionista del Estado costarricense, que se remonta a finales del siglo XIX, y fue también una respuesta a las luchas de los trabajadores por mejorar sus condiciones de vida y laborales. El proceso, sin embargo, tuvo una decisiva dimensión electoral: dado que Costa Rica fue uno de los pocos países del mundo donde la democracia no colapsó durante la década de 1930, el Partido Comunista permaneció legal –una excepción en Centroamérica– y tuvo un considerable éxito en las urnas. La organización, gracias a sus sindicatos y a su presencia en la esfera pública mediante su propio semanario, *Trabajo*, basó su estrategia de captura de votos en la denuncia sistemática de los problemas enfrentados por las familias populares, empeorados por la crisis económica de la época.

La creciente amenaza roja fortaleció al ala católica que había empezado a configurarse en el Partido Republicano Nacional (fundado en 1931 y convertido en la principal organización política del país en los diez años siguientes). El llamado de los comunistas

Las reformas en tramitación, no tienen ningún objeto, ni actualidad, ni oportunidad. Para el pueblo no valen nada... cuando lo que reclama, con gritos al cielo... es pan, ropa, bienestar... libertad... las reformas... suenan a hueco. Es pura batahola lírica, literatura electorera, mentira, sobre todo.

Ricardo Jiménez Oreamuno (tres veces presidente de la república), mayo de 1942.

Anuncio de *Trabajo*, octubre de 1938.

a enfrentar la cuestión social por vías institucionales fue emulado por ese círculo, pero con el propósito fundamental de socavar la estrategia electoral de sus rivales izquierdistas. El anticomunismo intensificado por el estallido de la guerra civil española en 1936 reforzó a tal grupo, cuyo líder era Calderón Guardia.

El desvelo de los calderonistas por enfrentar a los comunistas era compartido por la jerarquía de la Iglesia, en especial por el entonces obispo de Alajuela, Víctor Manuel Sanabria. Los eclesiásticos, sin embargo, tenían sus propias reivindicaciones, que incluían derogar la legislación anticlerical aprobada a finales del siglo XIX. Los intentos iniciados, luego de 1900, por varios

Conmemoración de los 300 años de la Virgen de los Ángeles, 1935.

diputados católicos (algunos sacerdotes) para convencer al Congreso de anular esas leyes no tuvieron éxito.

Los calderonistas, al prepararse para los comicios de 1940, alcanzaron dos acuerdos básicos. El primero fue con los partidarios del presidente saliente. Los cortesistas garantizaron su respaldo a Calderón Guardia a cambio de que este último se comprometiera a apoyar el regreso de León Cortés a la presidencia en las elecciones de 1944. El segundo compromiso fue con Sanabria, quien estaba próximo a convertirse en el nuevo arzobispo de Costa Rica. El prelado acuerparía el futuro programa de reforma social –todavía en vías de elaboración– con tal que los diputados progobiernistas derogasen la legislación anticlerical.

La reforma social, por lo tanto, fue en sus inicios producto del cálculo electoral. La dirigencia calderonista, al planear diversas medidas para responder a las demandas populares, esperaba disminuir el caudal de votos a favor del partido jefeado por Manuel Mora, que se había convertido en el principal adversario del Republicano Nacional en las ciudades. La apropiación por el gobierno de los puntos más moderados del programa comunista, obligaría a esa organización a radicalizar sus exigencias para mantenerse vigente, un desplazamiento que la alejaría, además, de la posición centrista adoptada después de 1935 (en línea

...no nos imaginábamos que pudiera existir una legislación como esa en aquella época... La propuesta de Calderón nos encontró con la guardia baja y nos vimos obligados a apoyarlo para conservar nuestra influencia.

Luis Carballo, dirigente del Partido Comunista, 1969.

con la política del Comintern), la cual fue la base de su éxito en las urnas.

La estrategia expuesta le permitió a Calderón Guardia capturar más del 80 por ciento de los votos en 1940, pero su gobierno pronto enfrentó una creciente oposición que tenía diversas fuentes. Las reformas sociales fueron adversadas por algunos importantes capitalistas. La declaratoria de guerra a la Alemania nazi –que se adelantó a la de Estados Unidos– afectó al influyente círculo cafetalero de origen alemán, cuyas propiedades fueron expropiadas al tiempo que muchos de sus miembros eran detenidos. La inflación perjudicó a los sectores medios, en tanto que el malestar político fue agravado por un clientelismo excesivo, que favorecía a los familiares

Manuel Mora, Monseñor Sanabria y Calderón Guardia, 1943.

y amigos del presidente a costa de otros aliados, cuyo apoyo fue esencial para lograr la victoria.

El proceder de Calderón Guardia condujo a una confrontación creciente con los cortesistas, la cual culminó en 1941, cuando los partidarios de Cortés abandonaron el Republicano Nacional e iniciaron una campaña sistemática para desprestigiar al gobierno. La crisis del partido que un año antes ganara la elección presidencial con una enorme ventaja posibilitó que los comunistas empezaran a acercarse al Poder Ejecutivo con el objetivo de participar en una reforma social originalmente diseñada en su contra, la cual amenazaba seriamente con volver obsoletas sus reivindicaciones. La aproximación inicial ocurrió en 1941, pero un pacto formal sólo se consolidó en 1943, tras recibir la aprobación de Sanabria, entonces arzobispo de San José. La jerarquía eclesiástica tenía razones para estar satisfecha con los calderonistas: la instrucción religiosa fue restablecida en las escuelas en 1940 y, en 1942, se derogó la prohibición que impedía el ingreso de órdenes monásticas. El respaldo del prelado a la alianza, sin embargo, dividió profundamente al clero.

La alianza precedente fue etiquetada como "calderocomunismo" por la oposición; pero su legitimidad fue reforzada por las inusuales circunstancias de la cooperación entre Estados Unidos y la Unión Soviética en su lucha contra

Otra larga discusión trató sobre la actitud de la Iglesia hacia el grupo comunista... Después de un prolongado y acalorado debate al respecto, un Juan Rafael Calzada... afirmó que le había sido dicho por Monseñor Solís, el Obispo de Alajuela, que Solís está organizando un grupo de sacerdotes anticomunistas cuyo propósito será combatir el crecimiento del comunismo por medio de la Iglesia.

Informe sobre un grupo de capitalistas jóvenes organizados para combatir el comunismo. Embajada de Estados Unidos en San José, agosto de 1944.

el fascismo, que culminó en 1945 con la derrota de Alemania y Japón. La guerra fría entre las dos potencias, finalizado el conflicto mundial, originó una nueva geopolítica, en la que era cada vez más difícil de justificar el entendimiento entre Calderón Guardia y Mora, dada la ubicación de Costa Rica en lo que los políticos estadounidenses llaman su "patio trasero".

La polarización de la política costarricense, sin embargo, fue anterior a la guerra fría. La victoria de Teodoro Picado, el aspirante progobiernista en los comicios de 1944, fue calificada de golpe de Estado por la oposición anticalderonista, con lo cual agudizó la crisis. El deterioro de la credibilidad en el sistema electoral se aunó con un cambio en los patrones geográficos de las prácticas fraudulentas.

La mayoría de las acusaciones de fraude, antes de 1944, provenía de las provincias de Guanacaste, Puntarenas y Limón; en contraste, a partir del año indicado, el grueso procedía del Valle Central, una modificación explicable porque esa área del país concentraba alrededor del 74 por ciento de los votantes y era donde la oposición tenía más respaldo. La lucha política, por tanto, se intensificó en ese espacio. El enorme margen de ventaja logrado por Picado, sin embargo, evidencia que, aunque todas las denuncias de irregularidades fueran ciertas, su partido siempre habría ganado los comicios.

El arzobispo [Sanabria] *describió a Manuel Mora como un hombre tanto inteligente como sincero y dijo que de todos los políticos que él conocía, pensaba que Mora era el más sincero en su deseo de ayudar a los pobres. Añadió que no hay duda de que Mora y sus seguidores simpatizan con Rusia, pero añadió que no sabía si había o había un contacto real entre Rusia y Vanguardia Popular* [Partido Comunista]. *Señaló en relación con esto que cuando Mora hizo un viaje a México recientemente, no había llamado al embajador soviético.*

Hallett Johnson, embajador de Estados Unidos en San José, abril de 1945.

El impacto de ese cambiante patrón de fraude fue magnificado por la prensa, que tendía a apoyar a la oposición. La creciente indignación por lo ocurrido obedecía en mucho a que las prácticas fraudulentas afectaron a votantes que no eran campesinos pobres u obreros bananeros, de origen indígena o mulato, sino a una población en la que tenían un peso importante los pequeños y medianos productores y comerciantes, que se consideraban a sí mismos ciudadanos costarricenses "blancos". La cultura política de las provincias costeras, con sus mayores niveles de abuso y coerción, resultó intolerable en el Valle Central, más urbanizado y alfabetizado.

La recuperación económica, luego de 1945, fue incapaz de compensar la creciente desconfianza en el sistema

Mujeres de la oposición marchan para exigir garantías electorales, agosto de 1947.

El Comité de Huelga [de Brazos Caídos] *informa a la ciudadanía costarricense los últimos acontecimientos relacionados con el movimiento cívico y la desobediencia civil. La Huelga sigue en pie en todo el territorio de la República... Solo unos cuantos negocios de calderonistas permanecen abiertos y se levanta una lista de ellos como enemigos de la causa nacional.*

Boletín, julio de 1947.

político, al tiempo que la detonación de bombas terroristas se generalizaba. La administración de Picado (1944-1948) detuvo las reformas sociales, procuró distanciarse de los comunistas y se afanó por darle garantías electorales a sus adversarios con un código aprobado en 1946. El esfuerzo, sin embargo, fue vano: en ese mismo año, la polarización se intensificó tras la muerte, en marzo, de León Cortés. El ex presidente, pese a sus ataques al gobierno, procuraba lograr una solución negociada al conflicto, y su deceso reforzó a los sectores de oposición de línea dura, quienes designaron a Otilio Ulate, editor del *Diario de Costa Rica*, como candidato presidencial para enfrentar a Calderón Guardia.

La campaña electoral de 1948 se efectuó bajo una extrema polarización y sus resultados fueron sorprendentes: en los comicios presidenciales, Ulate

Otilio Ulate en San Ignacio de Acosta, provincia de San José, enero de 1948.

aventajó a Calderón Guardia por 10.943 votos, y en los de diputados, calderonistas y comunistas derrotaron a sus rivales por 12.308 sufragios; por si esto fuera poco, miles de ciudadanos progobiernistas denunciaron que debido a maniobras del Registro Electoral –cuyo director estaba estrechamente vinculado con los sectores de línea dura de la oposición– no pudieron votar. El Congreso, dominado por los partidarios del candidato perdedor, decidió anular la elección para presidente el primero de marzo. Las negociaciones entre el calderonismo y el ulatismo empezaron casi de inmediato, pero once días después, sin esperar a que concluyeran, fueron desconocidas por un líder opositor renegado, José Figueres, quien se levantó en armas: era el inicio de la guerra civil.

Las dos fuerzas que emergieron victoriosas del conflicto armado de 1948 estuvieron en las márgenes de la vida política antes de ese año. El Centro para el Estudio de los Problemas Nacionales, fundado en 1940, estaba integrado por jóvenes intelectuales y profesionales, entre los cuales destacaban el abogado Rodrigo Facio y el historiador Carlos Monge. Los afiliados a este círculo, que resentían el dominio que la United Fruit Company y la burguesía cafetalera tenían sobre la economía del país, eran virulentamente anticomunistas; simpatizaban con la reforma social, pero eran fuertes críticos del

Una de las actitudes dominantes del Centro ha sido su consistente y amarga oposición al comunismo... el Centro tiene como activos juventud, inteligencia, recursos financieros y el único programa para Costa Rica, excepto el del Partido Vanguardia Popular. Su futuro será, en gran medida lo que el propio Centro escoja que sea.

Informe de la embajada de Estados Unidos en San José, octubre de 1943.

Carlos Monge Alfaro en 1972, cuando declaró: *Más que posible, es necesario implantar en Costa Rica un régimen de tipo socialista.*

gobierno, al cual consideraban corrupto, anticuado, injusto e incompetente.

El empresario agrícola, José Figueres Ferrer, pronunció por radio un volátil discurso anticalderonista en 1942, por lo cual se le expulsó del país; tras dos años de exilio en México, volvió, continuó con sus críticas al gobierno y se convirtió en el líder del Partido Acción Demócrata, fundado en 1944. La fusión de este último con el Centro para el Estudio de los Problemas Nacionales originó, en 1945, el Partido Social Demócrata, que apoyó a Cortés y, tras su inesperada muerte, a Ulate.

La preparación de un ejército rebelde, sin embargo, precedió en mucho a las elecciones de 1948: durante su destierro en México, Figueres contactó con la Legión Caribe, una organización de exiliados cuyo propósito era derrocar a las dictaduras del área. El regreso a Costa Rica le deparó al expulsado en 1942 la ocasión para empezar a figurar en la política y a entrenar tropas irregulares en su finca, ubicada en San Isidro de El General.

El 16 de diciembre de 1947, casi dos meses antes de los comicios, Figueres firmó el Pacto del Caribe, en el cual se comprometía a que, una vez en el poder, Costa Rica serviría de base para liberar de tiranías al resto del área. El acuerdo fue patrocinado por el presidente de Guatemala, Juan José Arévalo, y desde ese país, el 13 de marzo de 1948, llegó a San Isidro de El General un avión con hombres y armas para el ejército rebelde.

La opción militar era la única que le podía permitir a Figueres y a sus partidarios alcanzar el poder, dado que su respaldo electoral era insignificante. La intransigente posición que les caracterizó durante la negociación posterior al primero de marzo obedeció a ese condicionante. La anulación de la elección presidencial les proporcionó la excusa para adelantarse a cualquier compromiso que pudieran alcanzar calderonistas y ulatistas e iniciar una guerra en nombre de la defensa del sufragio que, en verdad, se libró por algo más que el voto (investigación reciente sugiere que Calderón Guardia ganó en 1948).

El 19 de febrero, el Tribunal [Nacional Electoral] *había escrutado apenas los votos de las dos provincias más pequeñas (Limón y Puntarenas), y los resultados parecían apoyar el reclamo de los partidos del gobierno de que miles de votantes fueron incapaces... de ir a las urnas. El hecho de que esto hubiese ocurrido en dos provincias en las cuales el electorado indudablemente le habría dado a los partidos del gobierno una gran mayoría –hecho que es admitido por la oposición– parece prestar fuerza y razón a los reclamos de los partidos vencidos.*

F. G. Coultas, ministro británico en San José, febrero de 1948.

*Los cadáveres eran ro-
ciados con gasolina y
ardían como antorchas,
retorciéndose al contac-
to con las llamas y ofre-
ciendo cuadros dantes-
cos. Pude contemplar el
temor reflejado en los
pálidos rostros de niños
y mujeres que cargaban
grandes fardos con sus
pertenencias con el fin
de rescatar lo más nece-
sario e indispensable,*

Testimonio de un ex comba-
tiente, marzo de 1948.

Memorias de un exiliado calderonista, 1951.

El conflicto armado duró cinco se-
manas (del 12 de marzo al 19 de abril
de 1948) y murieron más de 4.000 personas, cifra que lo convirtió en el más
trágico estallido de violencia política
experimentado por el país. El "Ejército
de Liberación Nacional" de Figueres
rápidamente derrotó y dispersó a las ya
decadentes tropas oficiales y se prepa-
ró para enfrentar a las milicias progu-
bernamentales que ocupaban San José
(los famosos "mariachis"). El Cuerpo
Diplomático logró un cese al fuego y la
firma de un pacto para terminar la guerra, en el cual los calderonistas se ren-
dían a cambio de que se respetaran sus
vidas y bienes, y los comunistas con tal
que se mantuvieran las reformas sociales y la legalidad de su partido.

El compromiso fue traicionado
pronta y parcialmente por Figueres, al
ilegalizar al Partido Comunista, al
purgar al sector público de simpati-
zantes de Calderón Guardia y al enviar
a miles al exilio. El líder victorioso
también incumplió el Pacto del Caribe, al impedir que Costa Rica fuera
utilizada para atacar a las dictaduras
vecinas. El poder tampoco le fue en-
tregado a Ulate: con este último, el jefe revolucionario firmó un acuerdo, el
primero de mayo de 1948, que lo fa-
cultó para gobernar el país durante 18
meses, al mando de una Junta.

El decreto más famoso de ese órga-
no fue la abolición del ejército, que tuvo una enorme importancia simbólica y

cerró el camino a una futura militarización; además, la Junta estableció un impuesto extraordinario del 10 por ciento a los capitales superiores a 50.000 colones, eliminó el control que tenía la burguesía cafetalera sobre el crédito al nacionalizar los bancos –una disposición estratégica para impulsar la diversificación económica–, fortaleció las reformas sociales, estableció el Instituto Costarricense de Electricidad (ICE) y logró que la United Fruit Company cancelara un tributo más elevado por sus exportaciones.

El 15 de enero de 1949 se instaló una Asamblea Constituyente que debía elaborar una nueva ley fundamental para la llamada "segunda república"; pero, dominada por los ulatistas,

Figueres durante el acto de abolición del ejército, 1948.

...¿acaso ignora nadie que esa costosa y ruin comedia [la política electoral] *no es más, a pesar de sus apariencias democráticas, que un* camouflage *de la oligarquía egoísta que domina a Costa Rica desde hace mucho tiempo?... Al campesino le compra o extorsiona el voto, cuando no el patrón, el cacique de su pueblo; éste se lo vende a cambio de algo, un nombramiento o una promesa de influencia, al cacique de la ciudad; y el cacique de la ciudad lo negocia, a su vez, por una curul en el Congreso o un sillón ministerial con los políticos de San José, caciques también de la República... Todo lo demás es cuento. Cuento la libertad, cuento la democracia...*

Mario Sancho, 1935.

rechazó el proyecto de la Junta y se limitó a actualizar la Constitución liberal de 1871. Los cambios introducidos, sin embargo, fueron cruciales: se debilitó el Poder Ejecutivo, se concedió el derecho de votar a las mujeres y a la población de origen afrocaribeño, y se establecieron la Contraloría General de la República, el Servicio Civil, el régimen de instituciones autónomas y el Tribunal Supremo de Elecciones, el cual logró controlar, poco a poco, las prácticas fraudulentas en los comicios nacionales.

La fundación de la "segunda república" (un siglo después de la declaratoria de la primera) exigía ese vasto programa de cambio institucional. El origen de esta propuesta se vinculaba con el polémico folleto publicado por Mario Sancho en 1935, *Costa Rica, Suiza centroamericana*. El opúsculo, al enfatizar en las debilidades y vicios de la sociedad costarricense, dejaba de lado sus fortalezas y virtudes. La crítica totalizadora que contiene fue apropiada por los jóvenes renegados del Centro para el Estudio de los Problemas Nacionales para justificar la completa transformación del país, la cual consideraban imprescindible para superar la corrupción y decadencia en que creían inmersa a su patria.

El proceso de cambio, de acuerdo con Rodrigo Facio, debía basarse en criterios técnicos más que en satisfacer intereses políticos clientelistas. Las personas más aptas para ejecutar esa tarea eran los jóvenes profesionales e intelectuales del Centro y sus aliados, los empresarios figueristas. La puesta en práctica de ese proyecto exigía, ante todo, que tuvieran acceso al poder estatal, lo cual lograron tras la guerra civil de 1948. El paso siguiente consistía en consolidar un decisivo respaldo en las urnas, lo cual los condujo a desmantelar a sus dos principales rivales en la competencia por el voto popular: calderonistas y comunistas. La arena electoral precisaba ser despejada para que una nueva organización pudiera crecer, y de eso se encargaron los partidarios de Figueres; una vez terminado el período de la Junta, este último, en compañía de sus más

Es cierto que algunos jefes revolucionarios embriagados de pólvora y de victoria en un primer momento habrían pretendido desconocer la elección del 8 de febrero [de 1948], pero luego esos jefes reflexionaron fríamente y se dieron cuenta de los sentimientos populares y cambiaron de actitud.

Rodrigo Facio, 1949.

El rector de la Universidad de Costa Rica, Rodrigo Facio, almuerza con profesores y estudiantes en la década de 1950.

...yo juro que algún día, sea mañana, sea dentro de meses, al levantarse el sol sobre el oriente patrio volverá a alumbrar para regocijo nuestro y para aliento de las demás naciones, el espectáculo grandioso de la Segunda República de Costa Rica.

José Figueres Ferrer, mayo de 1944.

cercanos colaboradores, comenzó a preparar la fundación del Partido Liberación Nacional, que se verificó en 1951.

La crisis de 1930 se caracterizó, en los otros países del istmo, por el ascenso de dictaduras militares: Ubico en Guatemala (1931-1944), Hernández Martínez en El Salvador (1931-1944), Carías en Honduras (1933-1948) y los Somoza en Nicaragua (1936-1979). La apertura democrática, que experimentó Centroamérica entre 1944 y 1954, se desvaneció con la polarización desatada por la guerra fría, la cual alentó otro brote de tiranías tropicales apoyadas por Estados Unidos. El proyecto político de Costa Rica, en este contexto, fue excepcional: convertir la justicia social y la modernización del Estado en la base de la democracia política.

Figueres en el desfile de la victoria 1948.

CAPÍTULO 9

LA EDAD DE ORO DE LA CLASE MEDIA (1950-1978)

La Costa Rica de 1978 podía ufanarse de indicadores sociales superiores a los del común de países del Tercer Mundo, pese a una explosión demográfica que elevó la población de unos 800.000 a casi 2 millones de habitantes entre 1950 y 1973. La esperanza de vida promedio era de 70 años; la mortalidad infantil ascendía a 20 por 1.000 nacimientos; la alfabetización de los mayores de 10 años era de 90 por ciento; el Seguro Social cubría a tres cuartas partes de la fuerza de trabajo y el desempleo no alcanzaba un 5 por ciento.

Inicio de clases en la Universidad de Costa Rica, marzo de 1971.

El avance social se apoyó en un crecimiento espectacular, vinculado con la expansión de la economía global después de finalizada la Segunda Guerra Mundial. La exportación de banano ascendió de 3,5 a 18 millones de

...se inició un plan de abonamiento al café y cacao, con vista a mejorar nuestra situación internacional en lo que a divisas se refiere, elevando la productividad de nuestros productos de exportación; más de cuatro millones de colones se dedicaron en el año 1954 a dicho plan, que comprende no sólo financiación, sino ayuda técnica a través de los organismos especializados del Ministerio de Agricultura e Industrias.

Jorge Rossi, ministro de Economía y Hacienda, mayo de 1955.

cajas anuales entre 1944 y 1952, y el precio del quintal de café subió de 9 a 68 dólares entre 1940 y 1956. Los productos tradicionales proporcionaron extraordinarios beneficios que, tras ser canalizados vía la banca del Estado, permitieron financiar mejoras tecnológicas y una amplia diversificación en la agricultura y la industria.

La productividad de los cafetales se triplicó entre 1950 y 1970, gracias al uso de agroquímicos, práctica que se intensificó en el cultivo del banano, junto con la utilización de variedades más resistentes a las enfermedades. La competencia fue otro estímulo para innovar: entre 1956 y 1965, el Estado autorizó la operación de tres nuevas compañías bananeras foráneas y facilitó el ascenso de un empresariado local en esa actividad, que aportó una proporción creciente de la fruta bajo contrato con las transnacionales. La United Fruit Company, ante esos desafíos, incursionó en la cría de ganado, el cultivo de palma africana y la fabricación de aceite y margarina para consumo interno.

La política de distribución del ingreso que practicó Liberación Nacional elevó el poder de compra de la población, proceso que fue la base para capitalizar otras actividades, en especial el cultivo del arroz y la ganadería de leche. El azúcar y la carne, aunque se beneficiaron del alza en la demanda local, se convirtieron en dos típicos productos de exportación tras 1960. La clave de su éxito, además del crédito bancario, fue la eliminación de la cuota azucarera a Cuba, luego de la revolución de 1959, y el auge de las cadenas de comida rápida en Estados Unidos.

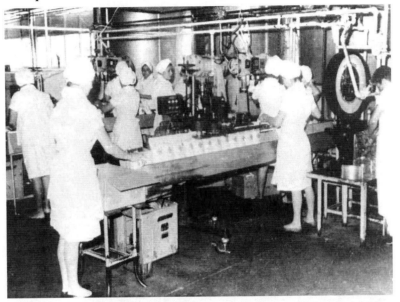

Manteca de la Numar (entonces, subsidiaria de la United Fruit Company), década de 1960.

El esfuerzo por diversificar la economía se concentró en la agricultura durante la década de 1950. La industrialización se profundizó después de 1963, al unirse Costa Rica al Mercado Común Centroamericano. La expansión de tal sector fue vertiginosa: en los doce años anteriores a 1975, fueron establecidas en el país más de cien compañías, la mayoría pertenecientes al capital extranjero. El peso de las firmas productoras de tabaco, bebidas y alimentos disminuyó proporcionalmente, al tiempo que las empresas químicas y metal-mecánicas ampliaban su espacio. Los pequeños y medianos talleres, en el curso de ese proceso, cedieron ante el impetuoso avance de la fábrica.

Trabajadoras en la Compañía Tabacalera Costarricense, década de 1950.

La diversificación económica fue estimulada y dirigida por un sector público que creció y se complejizó velozmente. El empleo estatal se multiplicó por nueve entre 1948 y 1979, cuando los 130.000 funcionarios del Estado suponían el 18 por ciento de la fuerza laboral del país. La tendencia a descentralizar el poder condujo, a su vez, a fundar 75 instituciones autónomas nuevas en ese período.

La inversión pública se materializó en escuelas, colegios, caminos, carreteras, plantas hidroeléctricas, puestos de salud, hospitales y otras obras de infraestructura. La formación de capital humano (es decir, de personas) tampoco se descuidó, y una capa creciente de profesionales y técnicos, graduados en la Universidad de Costa Rica y en instituciones de enseñanza superior en el extranjero, asumió la administración del Estado.

La gestión técnica (y no política) del aparato estatal fue uno de los ejes del discurso de Roberto Brenes Mesén y luego fue parte esencial del programa del Centro para el Estudio de los Problemas Nacionales, en gran medida basado en el pensamiento de Rodrigo Facio. La práctica de la "ingeniería social", cuyo fin era despolitizar el

...esa intervención [la del Estado, debe ser]... *realizada por Instituciones autónomas, es decir, no por los ministerios directamente, no con política de por medio, sino por funcionarios técnicos, independientes del ciclo político, especializados en la materia.*

Rodrigo Facio, 1949.

Figueres y Monseñor Odio inauguran la planta eléctrica de Tibás, provincia de San José, 1956.

...hay que decir que las instituciones autónomas le han servido al partido Liberación para instalar en ellas a sus cuadros y mantener así, aun en los períodos en que ese partido ha pasado a la oposición, parte del poder político del país.

Ex presidente Mario Echandi, 1975.

ejercicio del poder, convirtió –irónicamente– a los empleados públicos en fieles partidarios de Liberación Nacional, que utilizó el enfoque tecnocrático para disfrazar formas tradicionales de clientelismo electoral y para propagar una ideología estatista.

El Estado, en la óptica de Liberación, era vital para financiar, con las divisas aportadas por el café y el banano, la apertura de nuevas actividades de acumulación capitalista, no controladas por la burguesía tradicional. El sector público debía poner su banca, su personal especializado y su infraestructura, al servicio de la iniciativa privada, en particular la del empresario pequeño y mediano.

José Figueres traspasa el poder a Daniel Oduber, 8 de mayo de 1974.

La utopía liberacionista implicaba crédito barato, salarios ascendentes, estímulo a las cooperativas (las más exitosas fueron las de los caficultores, de las cuales se fundaron 23 entre 1963 y 1972), empleo público estable, opciones de ascenso social gracias a la expansión de la educación secundaria y universitaria y fortalecimiento del mercado interno. El logro parcial de ese sueño supuso una mejora significativa en las condiciones de vida de la población. Los principales beneficiarios del auge fueron los sectores medios urbanos y rurales, que prosperaron con el alza de las exportaciones y con el crecimiento del Estado, de las ciudades y de la industria. La ventaja precedente fue afianzada por la sistemática organización de los trabajadores estatales, en curso a partir de la década de 1960.

La expansión económica con justicia social legitimó, a largo plazo, una política democrática, cuya consolidación, en lo inmediato, fue difícil. La finalización de la guerra civil no implicó un rápido retorno a la estabilidad: en diciembre de 1948, Calderón Guardia apoyó una invasión desde Nicaragua que fue neutralizada gracias a la intervención de la Organización de Estados Americanos (OEA); y en abril de 1949, el ministro de Seguridad Pública de la Junta, Édgar Cardona, dirigió un fallido intento por derrocar a Figueres con el objetivo de eliminar la nacionalización bancaria y el impuesto

Varias experiencias sociales, especialmente en Costa Rica, demuestran que la existencia de núcleos fuertes de pequeños propietarios de la tierra constituyen un elemento moderador en el desarrollo económico y social... una fuerza de equilibrio político y social, y... de fortalecimiento de las instituciones democráticas... [en] las zonas del país, en donde los pequeños propietarios tienen fuerza económica y política, las ideas exóticas y totalitarias nunca han logrado penetrar.

Futuro presidente Luis Alberto Monge, 1961.

Para revelar la filiación comunista del señor Figueres entregaré próximamente a una organización internacional debidamente autorizada la documentación que prueba la identidad de ideas entre el presidente Figueres y la filosofía marxista, incluyendo un artículo que no llegó a publicarse de una señorita, periodista norteamericana, que visitó mi país en los finales del año 1953, y a quien el señor Figueres le declaró que una invasión soviética por Alaska sería saludable porque galvanizaría al continente americano.

Ex presidente Otilio Ulate, 1954.

del 10 por ciento sobre los capitales superiores a 50.000 colones.

El ascenso de Ulate a la presidencia en noviembre de 1949 supuso el inicio de una estabilización frágil, que desapareció tras la victoria electoral figuerista de 1953. La primera administración de Liberación Nacional pronto enfrentó serios intentos subversivos, promovidos por sectores de la oposición aliados con figuras claves del gobierno de Estados Unidos, quienes creían que Figueres era comunista. El proceso culminó en 1955, cuando Costa Rica fue invadida otra vez desde Nicaragua, aunque el intento fracasó gracias a la intervención de la OEA.

La abolición del ejército, sin duda, explica en mucho los fracasos de esas iniciativas para desestabilizar a la administración figuerista. La presión, sin embargo, condujo a conflictos en el seno de Liberación Nacional, y el partido se presentó dividido a los comicios de 1958, en los cuales perdió la presidencia. La oposición, ese año, postuló a Calderón Guardia (aún en el exilio) candidato a diputado por San José, y escogió como aspirante presidencial a Mario Echandi, quien había –según uno de los líderes de la invasión de 1955– colaborado activamente con ese movimiento para derrocar al gobierno.

El impulso inicial de algunos de los importantes dirigentes de Liberación Nacional, incluido Figueres, fue desconocer el triunfo echandista; sin embargo, esa tentativa fue finalmente rechazada, lo cual contribuyó, de manera decisiva, a consolidar la democracia electoral. El gobierno de Echandi (1958-1962) también coadyuvó a ese proceso al promover una amnistía general que le permitió a Calderón Guardia regresar al país y ocupar el asiento legislativo que había ganado.

La derrota no implicó que Liberación Nacional perdiera su liderazgo político e ideológico, el cual fue propiciado porque sus adversarios, durante la década de 1950, constituían una coalición, a menudo frágil e incoherente, de todos los que fueron perjudicados en 1948: la burguesía cafetalera, los partidarios de Ulate, de Calderón Guardia y

Calderón Guardia y su hijo, Rafael Ángel Calderón Fournier, regresan a Costa Rica, 1958.

...tenéis algunas inver-
siones en las dictaduras
americanas. Las empre-
sas del aluminio sacan
la bauxita casi gratis.
Vuestros... funcionarios
civiles y... magnates re-
ciben allí trato real... al-
gunos contratistas so-
bornan con millones a
las dinastías imperan-
tes, para cazar en sus
predios. El dinero lo de-
ducen del pago de sus
impuestos... Mientras
tanto, nuestras mujeres
son atropelladas, nues-
tros hombres son castra-
dos en la tortura, y
nuestros profesores ilus-
tres desaparecen tétri-
camente... cuando algún
legislador vuestro llama
a todo esto "colabora-
ción para combatir el
comunismo", 180 millo-
nes de latinoamericanos
desean escupir.

José Figueres ante el Comité
de Relaciones Exteriores del
Congreso de Estados Unidos,
junio de 1958.

la izquierda (unos y otros amargos enemigos en el decenio de 1940). La victoria de la oposición en los comicios de 1958 y 1978 fue posible porque los liberacionistas se presentaron divididos a las urnas; y en 1966, una fuerte y sistemática campaña que insistía en que Daniel Oduber era comunista, le impidió al partido jefeado por Figueres alcanzar la presidencia.

El profundo conservadurismo de la oposición, fortalecido por la guerra fría, facilitó que Liberación Nacional asumiera un papel progresista. Los gobiernos de ese partido, además de impulsar la modernización del país, procuraron practicar una política internacional más activa, en defensa de los productos de exportación, y criticaron a Estados Unidos por apoyar a las dictaduras del área (sin que esto último implicara que Costa Rica, que respaldó el bloqueo a Cuba, no fuera un fiel aliado de Washington en su cruzada anticomunista).

La "edad de oro" del crecimiento con distribución tuvo tres perdedores básicos: el campesinado, los trabajadores y el ambiente. Los pequeños productores de granos y otros víveres, aunque a veces trataron de organizarse en cooperativas y adoptar el uso de abonos, fueron desplazados por la agricultura capitalista a gran escala, un proceso que los condenó a un porvenir de frustración, pobreza, expropiación, éxodo y precarismo. El ascenso de las empresas agrícolas acentuó la concentración de la tierra en unos pocos dueños y sometió al medio a un deterioro sin precedente. La deforestación fue especialmente aguda en la actividad bananera, y caracterizó el crecimiento de la ganadería extensiva en Guanacaste. La expansión masiva en el uso de agroquímicos dejó un saldo de contaminación que permaneció invisible entre 1950 y 1970, cuyos graves efectos empiezan a evidenciarse en el presente.

La persecución de calderonistas y comunistas, que se inició a partir de 1948, se prolongó en los años siguientes: aunque la izquierda mantuvo su influencia en el sector de los obreros bananeros (la categoría laboral más combativa entre 1950 y 1970), las organizaciones y la cultura de los operarios urbanos tendieron a desaparecer. La identidad y la base de poder, que construyeron a partir de 1890, cayeron víctimas de la ofensiva antisindical del Estado y los patronos, del crecimiento urbano y de una industrialización sin precedente. La destreza manual, clave en el taller, ya no lo era en fábricas mecanizadas. El auge industrial posterior a 1963 se basó en una nueva clase obrera, sin vínculos con las tradiciones trabajadoras de comienzos del siglo XX.

Los comunistas, enfrentados con la ilegalización de su partido y una pérdida de influencia entre la nueva

Juan Rafael Morales, 1999.

La Avanti esa es la primera fábrica. Bueno, aquí es donde cambian los métodos de producción... aquí ya entonces el zapatero no es el zapatero, es un trabajador del calzado que pone ojetes o que pone lengüetas, o que pone sólo plantillas o que maneja una máquina... ya no es un artesano, es una pieza de la máquina, que no tiene que hablar y que tiene que estar pegado a la máquina, al switch.

Juan Rafael Morales, zapatero, 1987.

Yo fui una persona que siempre me interesé en involucrar a las amas de casa como partícipes y como dirigentes porque yo desde que tengo noción de estar en la lucha he creído en la solidez de la mujer cuando se involucra. La mujer es la que más siente la necesidad de dar la cara por un movimiento, llámese el aumento de la luz, del agua, el aumento del pan, de transportes... tal vez cuesta sacarla, pero claro si uno la involucra es más sólida que el hombre... la mujer por convertida involucra al esposo, involucra al hijo.

Nardo Vanegas, líder comunista y comunal, 2002.

clase obrera, empezaron un activo trabajo político, de 1950 en adelante, con las juntas progresistas. La importancia de estas asociaciones de vecinos, cuyo propósito era resolver problemas locales, se fortaleció a medida que el crecimiento de las ciudades y la expansión de los servicios públicos, bajo el control de instituciones autónomas, generaban nuevos conflictos y oportunidades.

La respuesta del Estado a la politización anterior fue fundar la Dirección Nacional de Desarrollo de la Comunidad (DINADECO) en 1967. La nueva institución fue utilizada para canalizar fondos públicos a nuevas asociaciones vecinales, estrategia que, a la vez que debilitaba a las juntas, neutralizaba a los comunistas, dado que eran funcionarios estatales quienes controlaban los recursos. El proceso, sin embargo, fue más complejo de lo esperado, ya que esas organizaciones comunales patrocinadas estatalmente se convirtieron en otro espacio de competencia entre la izquierda y sus rivales (principalmente, liberacionistas).

La influencia creciente de los comunistas en las organizaciones comunales fue favorecida por la fundación en 1952 de la Alianza de Mujeres Costarricenses. El esfuerzo inicial de su dirigencia se concentró en inscribir a las nuevas ciudadanas para que ejercieran el derecho al voto ganado en 1949; pero pronto se dedicó a integrar amas de casa populares a luchas de vecinos, en particular contra alzas desmedidas en las tarifas del agua y la electricidad. La estrategia de movilización recuperaba el discurso maternalista de las primeras décadas del siglo XX, que insistía en el deber de la esposa y madre de velar por el bienestar de su hogar. La politización resultante, por tanto, en vez de impugnar los valores de las relaciones tradicionales de género, los reforzaba.

La incorporación de las mujeres contribuyó al éxito de las protestas, que evidenciaron que las condiciones en que se expandió el Estado fueron definidas, en parte, por la presión y las demandas populares. La mayoría de las confrontaciones fueron resueltas pacíficamente, con una excepción. El 23 de noviembre de 1962, una movilización en Cartago contra un cobro considerado injusto en los recibos de electricidad fue brutalmente reprimida por la policía, con un saldo de tres muertos, decenas de heridos y casi treinta detenidos que fueron, además, salvajemente golpeados. El gobierno de Francisco Orlich (1962-1966) procuró justificar lo ocurrido al acusar a los manifestantes de comunistas, pero su iniciativa fracasó dado que la izquierda no participó en el movimiento cartaginés, que tuvo un fuerte componente de capas medias.

Las movilizaciones y protestas comunales fueron parte de un variado conjunto de conflictos sociales que estremecieron a Costa Rica después de

Portada de *Nuestra Voz*, periódico de la Alianza de Mujeres Costarricenses, febrero de 1967.

En el hospital [de Cartago] *el cuadro que se presentó a los ojos del periodista, fue algo indescriptible. Escenas de dolor, heridos en las bancas, en las salas, en las banquillas. El cuerpo médico del hospital trabaja en carrera contra el tiempo, tratando de salvar vidas. Los familiares de los heridos llegaban presurosos... Escenas desgarradoras. Y flotando allí una indignación tremenda.*

La Nación, 17 de noviembre de 1962.

Todo este período, [desde 1948] hasta 1970, fue de violencia en la United [Fruit Company]... Lo único que le hizo falta a la Compañía fue fusilarnos... Yo tuve un período en el que prácticamente vivía en la cárcel... Tomábamos el tren y ahí iba la policía, nos apeábamos en un cuadrante y ahí andaba la policía.

José Meléndez Ibarra, líder sindical, 1981.

1950. El descontento de los artesanos y obreros urbanos y de los trabajadores bananeros destacó entre 1948 y 1954, período en el que adversaron con denuedo la persecución posterior a la guerra civil. Los pequeños y medianos caficultores se manifestaron en 1961 a favor de regular mejor su relación con la burguesía cafetalera y, por esa misma época, los campesinos pobres, a veces organizados en ligas y comités de orientación izquierdista, empezaron a expresar su malestar públicamente.

El total de familias precaristas rurales se elevó de 14.000 a 17.421 en la década anterior a 1973, y entre 1963 y

Los gorilas, un afiche en apoyo de una huelga de trabajadores bananeros. Federación de Estudiantes de la Universidad de Costa Rica, cerca de 1971.

1970, estallaron en Costa Rica 2.203 conflictos por la tierra, la mayoría localizados en Guanacaste, en el Pacífico sur y en Limón (áreas en las que se expandió la ganadería y el cultivo del banano). El Estado respondió a este desafío y a otros similares con la fundación de entidades especializadas en la atención de problemas sociales específicos. La preocupación por canalizar legal y pacíficamente el descontento popular, que prevalecía en el Valle Central desde el siglo XVIII, culminó casi dos siglos después en una infraestructura institucional compleja y diversificada.

El propósito básico de esas entidades era desmovilizar las protestas; sin embargo, para cumplir ese objetivo eficazmente, debían satisfacer, en algún grado, las demandas populares. La dinámica resultante condujo a los distintos actores colectivos a corporativizarse para presionar mejor al Estado, para lo cual se organizaron en cooperativas, asociaciones, juntas, sindicatos, cámaras, ligas, colegios profesionales y otros por el estilo.

La desigual distribución de la prosperidad fue geográficamente muy visible. El universo urbano, con San José a la cabeza, concentraba el 42 por ciento de la población en 1973; además, acaparaba los mejores servicios, infraestructura e ingresos, ventajas logradas a costa de las áreas rurales. El Valle Central, a su vez y dado su peso

Ese oficio de inspector [de la Caja Costarricense de Seguro Social] le *permitió conocer de cerca muchas miserias... se indignaba mucho. Por ejemplo, en Naranjo [cerca de 1963],* un eminente político tenía un beneficio con más de 200 trabajadoras, pero se negaba a asegurarlas. Entre ellas había muchas madres solteras que no podían llevar sus hijos al Seguro y no tenían plata para pagar médico. Además, por miedo, no le querían decir sus nombres a Jorge. Vivían muy temerosas de que las despidieran. El por fin logró ganarse la confianza de una, que le dio todos los nombres. Y así consiguió asegurarlas a todas.*

Margarita Salazar, viuda del poeta Jorge Debravo, 1974.

Nosotros descendemos de familia muy pobre. En Turrialba cogíamos café y hacíamos canastos... papá no tenía trabajo fijo... y en esto nos vinimos aquí, para San José... Nos vinimos una vez y no pudimos. No pegamos y nos volvimos a ir para dentro. Y después [en 1963] volvimos a venir, y hasta la fecha: veinte y resto de años...

Chofer de una compañía aduanera, cerca de 1988.

político y electoral, se benefició de la inversión estatal en proporción superior que las provincias de Guanacaste, Puntarenas y Limón.

La urbanización fue alimentada por la inmigración rural: San José, que un siglo atrás despidió a los que partían a colonizar la frontera agrícola, veía ahora el regreso de sus descendientes. El proceso fue limitado fuera de la capital, pero esta última tendió a crecer decididamente: aparte de los que vivían en su casco antiguo, 500.000 personas la visitaban diariamente en 1976. La mayoría procedía de comunidades cercanas, cuya vida cívica se disipó al convertirse en suburbios dormitorio. La expansión urbana, cuya tasa de "tugurización" era muy baja todavía en 1973, pronto derivó en un caos, dada la falta de planificación. El espacio josefino perdió el encanto europeo que deslumbró al gran poeta nicaragüense Rubén Darío a finales del siglo XIX y se transformó en un universo feo, falto de parques y de facilidades para peatones y ciclistas, con el aire y los ríos crecientemente contaminados.

La cultura rural, que todavía prevalecía en 1950, fue inexorablemente desplazada por la urbana, un proceso vinculado con el avance del consumo de masas. La apertura de salas de cine se intensificó; se amplió el acceso a los electrodomésticos (especialmente a la radio); se expandió la venta de discos y de *comics* y, en 1960, la televisión debutó en el país. Lo característico de esta época fue la penetración creciente de la información y el entretenimiento procedente de Estados Unidos, de los gestos de James Dean a las canciones de Elvis Presley.

La versión local de la cultura de masas fueron ciertos programas de radio y televisión, sobre todo de variedades, de concursos y deportivos; la música popular, campo en el cual, aparte de orquestas del tipo "Lubín Barahona y sus caballeros del ritmo", empezaron a figurar las bandas de *rock*; y el fútbol, que adquirió un perfil más empresarial, con la construcción de estadios, mejores sueldos para jugadores y técnicos y un vínculo más definido con el universo publicitario, radial y televisivo.

Transporte público entre las ciudades de San José y Alajuela, década de 1950.

La Universidad de Costa Rica, aunque era ideológicamente conservadora y su misión principal consistía en formar los cuadros técnicos y profesionales exigidos por la expansión del sector público impulsada por Liberación Nacional, ofreció algunos espacios para experimentar en los campos del teatro, la danza y la plástica (en 1953, Margarita Bertheau realizó la primera exposición de arte abstracto). El Estado se unió a ese esfuerzo, al crear un complejo de premios y entidades culturales, proceso que culminó en la fundación del Ministerio de Cultura, Juventud y Deportes en 1971.

María Estuardo, de Schiller, en el Teatro Universitario, septiembre de 1975.

El respaldo estatal permitió institucionalizar una cultura oficial entre 1950 y 1970, proceso que propició un crecimiento cuantitativo en la producción literaria y artística, pero poco original. Las excepciones fueron las obras de personas formadas antes de 1948: entre otros, los pintores Francisco Amighetti y Manuel de la Cruz González, los escultores Juan Manuel Sánchez y Francisco Zúñiga, y los novelistas Joaquín Gutiérrez y Fabián Dobles. Los autores más destacados de los años posteriores a la guerra civil fueron el poeta Jorge Debravo (1938-1967) y Luisa González (1904-1999), quien en 1970 publicó una breve y brillante novela autobiográfica, *A ras del suelo*.

Las políticas educativas y culturales, dominadas por los valores de la sociedad del Valle Central, reforzaron la identidad nacional inventada por los liberales en el decenio de 1880, cuyo énfasis era la Costa Rica "blanca". El modelo, impuesto a comunidades de origen indígena y mulato en Guanacaste y Puntarenas, tuvo su mayor impacto sobre la población negra de Limón. El período posterior a 1950 presenció la asimilación gradual, en la experiencia costarricense dominante, de la una vez peculiar cultura afrocaribeña anglófona. El proceso precedente, que condujo a la decadencia de la activa y cosmopolita esfera pública configurada por los afrocaribeños en las primeras tres décadas del siglo XX, fue fomentado por la inmigración de familias de otras partes del país (atraídas por tierra para colonizar y por

Ya estábamos en los años 40, y los negros y las negras seguíamos siendo mayoría [en Limón]. Pero empezó la migración blanca... Y poco después empezó el boom de las políticas nacionalistas que buscan marginar toda expresión cultural afrocaribeña, el idioma, la religión, las logias, el baile, la música... Sufrimos una embestida de imperialismo cultural por parte del interior del país

Eulalia Bernard, poeta afrocostarricense, octubre del 2005.

un nuevo auge bananero), por el racismo y por el rechazo del Estado a ofrecer instrucción en inglés en las escuelas públicas.

El contexto de la guerra fría, sin embargo, fue lo que definió la atmósfera cultural de los años 1950-1970. El cosmopolitismo y la apertura intelectual, típicos de los espacios urbanos de la Costa Rica liberal, fueron destruidos por el anticomunismo de la prensa, la radio y la televisión, controladas por un pequeño círculo de familias acaudaladas; por el conservadurismo moral de los sectores medios, deslumbrados por la prosperidad; y por la influencia creciente de la Iglesia católica en la esfera pública. La jerarquía eclesiástica, al tiempo que se distanciaba del compromiso social que la distinguió en la década de 1940, adversaba la "opción por los pobres", promovida por el Concilio Vaticano II (1962-1965) y la Conferencia Episcopal de Medellín (1968).

La novela costarricense más prestigiosa fuera del país, *Mamita Yunai* de Carlos Luis Fallas, fue tácitamente prohibida en Costa Rica entre 1950 y 1970, dado su carácter revolucionario. La asfixia ideológica y el sopor cultural empezaron a disiparse después de 1967, al calor de las luchas guerrilleras en América Latina y de la explosión del movimiento estudiantil en Occidente.

El descontento de los estudiantes en Costa Rica, en su origen más cultural

...desde la muerte de Sanabria [en 1952] *hasta el inicio de la década de los 80, la Iglesia costarricense no ha tomado ninguna iniciativa de significación en la vida social y política del país. Sí ha consolidado, sin embargo, su posición privilegiada de enseñar religión en los establecimientos públicos de educación, de beneficiarse del apoyo financiero de la hacienda pública... de dotarse de costosos templos y magníficas casas curales y de ser tomada en cuenta en todos los actos protocolares del Estado y en las inauguraciones de obras públicas y privadas.*

Javier Solís, ex sacerdote, 1983.

que político, supuso el consumo de drogas en algunos círculos universitarios y de secundaria (en especial en colegios privados). El uso de estupefacientes, con todo, fue parte apenas de un proceso más amplio, en el que se configuró una vanguardia intelectual cuyos símbolos típicos fueron los *blue jeans*, la barba y el cabello largo.

El radicalismo de los jóvenes costarricenses pronto fue más allá de su identificación con *The Beatles* y con el cantante catalán Joan Manuel Serrat. El 24 de abril de 1970, miles de estudiantes universitarios y colegiales apedrearon la Asamblea Legislativa, en protesta por las concesiones mineras otorgadas a la transnacional ALCOA.

El grito de "ALCOA NO" fue el inicio de una radicalización intelectual

El 24 de abril de 1970 en San José.

El día 25 de junio de 1971 a las 11 de la noche [en San José], fui montado en un jeep sin placas por cinco individuos vestidos de civiles... se me llevó, como un criminal, a la Segunda Compañía, donde se procedió a hacer un registro de mis pertenencias... me fueron decomisadas fotografías... de los disturbios del 1 de junio [una marcha de universitarios en apoyo de los trabajadores bananeros], en que aparecemos varios estudiantes vejados por la policía... A la mañana siguiente... empezaron los tres a golpearme... y gritaban... "rómpale la vida, así se la vamos a romper a todos estos estudiantes".

Alfonso Chase, poeta, julio de 1971.

más profunda y violenta que la ocurrida a inicios del siglo XX. Las organizaciones comunistas y socialistas fueron incapaces, sin embargo, de aprovechar apropiadamente ese proceso, el cual condujo a una crítica de la Costa Rica construida por Liberación Nacional. Los gobiernos de ese partido enfrentaron tal cuestionamiento con mayor inversión en salud y educación. La nueva izquierda, además, enriqueció la vida cultural del país, que experimentó unos años de oro entre 1970 y 1978.

Las administraciones de José Figueres (1970-1974) y Daniel Oduber (1974-1978) fueron el escenario en que florecieron el teatro, la danza, la música clásica y el cine documental. La producción editorial y de artes plásticas se elevó también; y sin duda de mayor importancia, se expandió la educación superior, al fundarse tres nuevas entidades públicas: la Universidad Nacional Autónoma, el Instituto Tecnológico de Costa Rica y la Universidad Estatal a Distancia. El quehacer académico de esas instituciones fue respaldado con una amplia política de becas para cursar posgrados en el exterior (sobre todo en Estados Unidos y Europa), la cual contribuyó a consolidar una comunidad de intelectuales y científicos cada vez más profesional y especializada.

El esplendor social y cultural de la década de 1970 empezó a tambalearse en 1973, con el alza súbita en el precio del petróleo, la caída en el valor de las

exportaciones agrícolas y el estanca-
miento del Mercado Común Centroamericano. La crisis inminente, sin embargo, fue postergada por un aumento
en la cotización internacional del café
en 1976 y 1977, debido a las heladas
que afectaron las cosechas de Brasil.

Maquinaria en la Fábrica de Tejidos Saprissa, San José, septiembre de 1977.

La efímera prosperidad de esos
años disfrazó el agotamiento del modelo económico vigente. La diversificación agrícola, iniciada en el decenio
de 1950, aportó las divisas para financiar la industrialización posterior a
1963. El sector industrial costarricense, consolidado en el contexto de la
Alianza para el Progreso, fue controlado por el capital foráneo, en especial

el de Estados Unidos. La industria que predominó, intensiva en tecnología, fracasó en ofrecer empleo abundante y, aunque gozó de generosas exenciones fiscales para introducir materias primas y equipos, el valor de sus importaciones superó al de sus exportaciones en 250 millones de dólares entre 1966 y 1972 (sin incluir la repatriación de utilidades).

El sector industrial, convertido en una gigantesca máquina para valorizar el capital extranjero y transferir al exterior las divisas aportadas por la agricultura de exportación, deterioró cada vez más la balanza comercial y de pagos. El déficit fiscal, en estas circunstancias, pasó de medio millón a 90 millones de colones entre 1950 y 1970, y la deuda pública externa se elevó, entre esos años, de 19 a 164 millones de dólares. El Estado, cuyos

Viva la independencia. Caricatura. Hugo Díaz, septiembre de 1972.

ingresos dependían de los impuestos indirectos (aduanas y ventas), fue incapaz de gravar apropiadamente a los más acaudalados y de controlar la evasión fiscal. Los gobiernos, enfrentados con esas limitaciones, optaron por endeudarse.

La intensa descapitalización de la economía, provocada por la industrialización, fue agravada por el incremento en el gasto estatal durante la década de 1970. El Estado, que desde 1950 se consagró a apoyar la acumulación privada de capital, empezó a acumularlo por sí mismo. La inversión pública en actividades productivas creció a una tasa anual del 183 por ciento entre 1974 y 1977.

El llamado "Estado empresario", que definió la administración de Oduber, tuvo por eje la Corporación Costarricense de Desarrollo (CODESA), fundada en 1972, la cual precisaba de cuantiosos fondos públicos para impulsar un ambicioso programa de creación de empresas agrícolas e industriales. El resultado fue que ese proyecto estatal empezó a concentrar crédito otrora dirigido al sector privado, lo cual provocó que los industriales no respaldaran a Liberación Nacional en los comicios de 1978.

El impulso dado al "Estado empresario" contribuyó, además, a elevar enormemente la deuda pública externa, la cual ascendió de 164 a 1.061 millones de dólares entre 1970 y 1978. El costo catastrófico del modelo productivo que

...inicialmente la concepción fue de fundar una corporación... con el objetivo de desarrollar empresas que por la magnitud de inversión no pudieran... ser llevadas a cabo por el sector privado para desarrollarlas y luego venderlas al sector privado. La orientación en el Gobierno de Oduber no fue esa, sino que CODESA llegó, en lugar de fomentar negocios de pequeña escala... a embarcarse en una serie desproporcionada de proyectos muy grandes.

Walter Kissling, industrial, noviembre de 1979.

se configuró después de 1948 fue evidente a partir de 1979. El crecimiento económico prácticamente se detuvo y el país pareció retroceder en el tiempo, a medida que los acreedores tocaban a la puerta y un viento revolucionario estremecía a Nicaragua, El Salvador y Guatemala.

El presidente Rodrigo Carazo y su esposa, Estrella Zeledón, en la Nicaragua sandinista, agosto de 1980.

CAPÍTULO 10

PASADO RECIENTE, FUTURO CERCANO

La economía costarricense, golpeada por un aumento en las tasas de interés, una segunda alza en el precio del petróleo y una caída en la cotización del café, se desplomó en 1980. El Producto Interno Bruto (PIB) per cápita, que empezó a bajar en 1979, disminuyó 10 por ciento en 1982. El salario real cayó casi 30 por ciento en ese año, el desempleo ascendió a 9 por ciento y la inflación anual alcanzó un 90 por ciento. La proporción de hogares pobres, que se redujo de 51 a 25 por ciento entre 1961 y 1977, subió a 48 por ciento en 1982. La crisis se agravó en 1983, cuando la United Fruit Company clausuró sus operaciones en el Pacífico sur.

Protesta de trabajadores en San José, cerca de 1981.

La sociedad y el gobierno costarricenses, entre 1978 y 1979, proporcionaron

...llega el representante del Fondo a mi oficina [en enero de 1982]... y saca su papelito, en una reunión personal, privada... y empieza a decir que aquí lo que se necesita es suprimir servicios públicos... que tenemos que sacrificar toda la educación, la nutrición popular... cerrar servicios hospitalarios... entonces yo le digo: un momento, aquí lo único que se va a cerrar son las puertas de este país para usted [porque]... le está faltando el respeto... a la soberanía nacional. ¡De manera que usted se me va en 48 horas!

Ex presidente Rodrigo Carazo, septiembre de 1986.

apoyo material, logístico y moral a quienes luchaban por derrocar la dictadura de Somoza. Los sandinistas, tras alcanzar el triunfo en julio de 1979, se empeñaron en transformar a Nicaragua en un país socialista, en tanto que El Salvador y Guatemala experimentaban ofensivas revolucionarias abiertas. El extendido conflicto bélico desarticuló el comercio ístmico, y añadió un desafío más a la crisis enfrentada por Costa Rica: tratar con un creciente flujo de refugiados e indocumentados, que alcanzaron la cifra de unas 300.000 personas en 1990.

La administración de Rodrigo Carazo (1978-1982) fue dominada inicialmente por el neoliberalismo –la versión latinoamericana del conservadurismo a favor del libre mercado–, pero su errática política económica agudizó la crisis. El gobierno, en búsqueda de préstamos para salvar a la industria y evitar el caos social, firmó dos acuerdos con el Fondo Monetario Internacional (FMI), y los incumplió poco después.

Las "recomendaciones" del FMI incluían privatizar empresas estatales, reducir el empleo en el sector público y el gasto social, eliminar subsidios a los productos básicos y otras medidas usuales en el repertorio neoliberal. El consejo de tal organismo, sin embargo, fue considerado suicida, dada la influencia que tenía sobre el país un contexto centroamericano revolucionario. El gobierno de Carazo, en septiembre de 1981, declaró una moratoria sobre el pago de la deuda externa y en enero de 1982 rompió todas las negociaciones con el FMI y expulsó a sus representantes de Costa Rica.

La decisión de Carazo no resolvió el problema. Las deuda pública externa del país alcanzó los 3.709 millones de dólares en 1985, y entre 1983 y 1988, el servicio de esa obligación supuso el 29 por ciento del valor total de las exportaciones. El sistema político, pese a lo grave de la crisis económica, no colapsó. El Partido Liberación Nacional (PLN) regresó al poder con Luis Alberto Monge (1982-1986). El nuevo presidente tenía un claro mensaje para la administración de Ronald Reagan, obsesionada por derrotar a la revolución sandinista mediante una guerra

Ronald Reagan y Luis Alberto Monge en la Casa Blanca, noviembre de 1982.

El apoyo costarricense es un factor crítico para desarrollar un amplio respaldo doméstico e internacional a la política de Estados Unidos en Centroamérica. Tanto en razón de nuestros valores compartidos como para preservar a Costa Rica como modelo de desarrollo democrático para la región, la preservación de la democracia costarricense es un interés y un objetivo primarios de Estados Unidos. Recientes dificultades económicas han puesto en cuestión, por primera vez en cuarenta años, la capacidad del sistema democrático para responder a las legítimas aspiraciones del pueblo costarricense. La política de Estados Unidos debería, por tanto, tratar de conseguir una recuperación económica a fin de anticiparse a desafíos marxistas-leninistas.

AID, marzo de 1984.

irregular: si Washington deseaba utilizar a Costa Rica como evidencia de que democracia y capitalismo podían coexistir en Centroamérica, tenía que empezar a ofrecer un apoyo significativo.

La Agencia Internacional para el Desarrollo (AID) fue despachada a Costa Rica y el gobierno de Reagan empezó a tomar medidas para suavizar algunas de las condiciones impuestas por el FMI. La AID, en el curso de este proceso, pronto se transformó en un Ministerio de Hacienda paralelo, el cual condicionó el desembolso de fondos al cumplimiento de lo exigido por los organismos financieros internacionales: baja del gasto público y de las tarifas a las importaciones (en su mayoría, procedentes de Estados Unidos), privatización de empresas estatales –especialmente de las subsidiarias de CODESA– y fomento de las exportaciones no tradicionales y de los bancos privados, cuyo número creció de 11 a 24 entidades entre 1984 y 1996. El respaldo de Washington se consolidó al aprobar la Iniciativa para la Cuenca del Caribe, acuerdo que permitió a un variado conjunto de productos centroamericanos ingresar al mercado estadounidense libres de impuestos.

La AID transfirió casi 1.300 millones de dólares a Costa Rica entre 1982 y 1990, por lo que dispuso de poderosos aliados en los círculos empresariales y políticos. La mayoría de esos fondos fueron canalizados fuera de la supervisión de la Contraloría General de la República o de la Asamblea Legislativa. El desembolso fue canalizado mediante organizaciones privadas, entre las cuales destacó la Coalición Costarricense de Iniciativas de Desarrollo (CINDE); a raíz de la influencia lograda, tales entidades fueron llamadas el "Estado paralelo".

La nueva dirección económica provocó una lucha en el PLN entre socialdemócratas y neoliberales, que se resolvió a favor de estos últimos a partir de 1984. La oposición política apoyó la transformación iniciada por el gobierno de Monge a cambio de una modificación en la legislación electoral. La reforma, aprobada en diciembre de 1982, permitió que los líderes de la Coalición Unidad –la cual llevó a Carazo a la presidencia en 1978– fundaran el Partido Unidad Social Cristiana (PUSC), sin perder el derecho al financiamiento estatal: tal fue el inicio del bipartidismo en Costa Rica.

El cambio en el modelo y el financiamiento externo –en especial el estadounidense– empezaron a estabilizar la economía ya en 1982-1983. El número de huelgas bajó de un promedio anual de 29 entre 1979 y 1981 a 12 entre 1982 y 1985. Los recortes en el gasto social (de 23 a 14 por ciento del PIB entre 1980 y 1982) y enormes incrementos en el costo de los servicios públicos condujeron, sin embargo, a una nueva

Los dineros de los contribuyentes norteamericanos vienen al Estado costarricense [vía AID], pero se inventa un mecanismo por el cual no entran al Estado y quedan fuera del control de la Asamblea Legislativa, del Ejecutivo, de la Contraloría... Se crea una serie de instituciones que no se sabe a quién pertenecen, ni quién las controla... Hay subsidios para la creación de la banca privada, hay dineros donados, hay intereses bajos para promover ciertas cosas, pero para los frijoleros no hay subsidios, porque entonces producen déficit fiscal.

John Biehl, asesor del presidente Óscar Arias, junio de 1988.

oleada de movilizaciones populares de base comunal. Las protestas, que se intensificaron entre 1983 y 1985, lograron que el gobierno de Monge aplicara el alza en las tarifas de la electricidad y el agua de manera gradual, pero los manifestantes no consiguieron que sus demandas por vivienda fueran respondidas institucionalmente.

La esperanza de la administración Reagan era convertir el territorio costarricense en un frente sur de la guerra contra los sandinistas. Los exiliados nicaragüenses empezaron a operar en San José, patrocinados por la embajada de Estados Unidos, que controló las fuerzas de seguridad de Costa Rica y las orientó militarmente. Los principales medios de comunicación, escritos, radiales y televisivos, fueron aliados

Marcha por la paz en San José, 15 de mayo de 1984.

leales de la estrategia estadounidense, y clamaron por militarizar el país para enfrentar la amenaza roja del sandinismo y detener a los ultraizquierdistas locales, quienes perpetraron una serie de actos violentos entre 1980 y 1983.

El gobierno costarricense aceptó todas las demandas de Washington, excepto una: no concordó en "invitar" a las tropas de Estados Unidos a establecer bases en Costa Rica. La presión se volvió intolerable y, en 1983, Monge jugó su última carta: invocó el peso simbólico de la historia del país y lo declaró neutral. El apoyo popular fue masivo: en 1984, una gigantesca marcha por la paz desfiló por las calles de San José, afirmó la soberanía nacional y respaldó los llamados por una solución diplomática al conflicto centroamericano.

La elección de 1986 fue ganada por el PLN. El gobierno de Óscar Arias (1986-1990) inició un vigoroso programa de vivienda popular para reducir la influencia de los líderes comunales; a la vez, profundizó la orientación neoliberal de la política económica, al reducir el apoyo estatal a los productores agrícolas que abastecían el mercado interno. La medida provocó fuertes protestas de los afectados: aunque no lograron detener los cambios, medianos y grandes agricultores consiguieron períodos de ajuste más amplios y mejores condiciones para adaptarse al nuevo contexto. El campesinado, en

...estos agricultores [pobres] vegetan en la frontera agrícola... satisfacen el romanticismo de los políticos en cuanto a creer que el país vive una democracia basada en la pequeña propiedad agraria... [una opción para resolver el problema de ese sector sería] transformar, como aconteció en la Meseta Central, al pequeño productor en condiciones de miseria, en un trabajador asalariado con un sueldo relativamente bueno y estable y mejores servicios públicos (educación, salud)...

Eduardo Lizano, presidente del Banco Central, 1986.

...la situación de empobrecimiento y aniquilamiento que hemos venido padeciendo desde hace muchos años... estructura de costos inmanejable, castigo con impuestos y cargas directas a los productores... carencia total de apoyo técnico, condiciones injustas de producción y comercialización... para mantener subsidios y beneficios intolerables a los industriales...

Carta de líderes campesinos al presidente Óscar Arias, septiembre de 1986.

contraste, tendió a desaparecer: tal proceso, que fuera debilitado por la crisis de 1980, se volvió a intensificar, y los campesinos cayeron de 14 a 7 por ciento de la población económicamente activa entre 1984 y el año 2000.

La pacificación fue el eje de la política exterior del gobierno de Arias, quien promovió un plan para lograrla, el cual fue firmado por los cinco mandatarios de Centroamérica. La iniciativa costarricense procuraba desactivar la presión de Washington para militarizar el país y estimular el comercio en el área. La oposición de Estados Unidos, obsesionado con derrotar militarmente a los sandinistas, fracasó y en 1987 el presidente de Costa Rica fue galardonado con el Nóbel de la Paz.

El premio indicado fue una de las dos espectaculares intervenciones

Campesinos y agricultores opinan sobre las políticas económicas del gobierno de Arias, San José, septiembre de 1986.

costarricenses en el escenario internacional. La otra fue el brillante desempeño de su Selección Nacional de Fútbol en el Campeonato Mundial efectuado en Italia en 1990. El equipo, formado por jugadores semiprofesionales de origen popular, venció a Escocia (1 a 0) y a Suecia (2 a 1), y avanzó a la segunda fase del torneo. El país estalló en júbilo.

La excitación por el Nóbel y por la gloria futbolística pasó pronto, y los costarricenses despertaron a una nueva geopolítica. El éxito del plan de paz, la derrota electoral de los sandinistas en 1990, el colapso de la Unión Soviética y la crisis de la izquierda occidental, condujeron a que Washington perdiera interés en Centroamérica. La ayuda estadounidense a Costa Rica bajó abruptamente de 78 a 20 millones de dólares entre 1990 y 1992. La AID cerró sus operaciones en San José en 1996, y fue sustituida ese mismo año por CR-USA, una fundación de orientación neoliberal basada en los fondos sobrantes dejados por su predecesora.

La baja en la ayuda fue compensada por una vertiginosa alza en la inversión extranjera directa, que ascendió de un promedio anual de 55 millones de dólares entre 1982 y 1986, a 132 millones anualmente entre 1987 y 1991. El capital proveniente del exterior alcanzó los 307 millones por año entre 1992 y 1996, y los 542 millones anuales entre 1997 y el 2004. Los recursos indicados tendieron a concentrarse

...en Centroamérica no habrá paz duradera si no hay democracia... los muchos problemas que enfrenta la región (de injusticia, explotación, miseria) es porque los grupos oligárquicos, nunca estuvieron de acuerdo en ceder sus privilegios... Hay... gente aquí [en Costa Rica] *que no cree en una solución pacífica... que quiere que continúe la guerra y no le importan las consecuencias, que no ha gastado zapatos porque siempre ha andado de rodillas...* [una] *minoría muy intolerante de extrema derecha que es... la que escribe en esos medios de prensa, es la que hace esos editoriales en* La Nación...

Presidente Óscar Arias, octubre de 1987.

Marcha por financiamiento estatal para las universidades públicas, octubre de 1986.

...teníamos que arreglar el problema, eso significaba recortes en el gasto público, un ajuste de tarifas... [tomar] medidas muy duras... el aumento del impuesto de ventas al 13 %... reducir el número de empleados en el sector público... Para mi fue muy doloroso despedir 700 personas del ferrocarril...

Presidente Rafael Ángel Calderón Fournier, marzo de 1991.

en actividades que, por estar exentas de impuestos, no contribuyeron a elevar los ingresos corrientes del gobierno central, los cuales disminuyeron de un 13 a 11 por ciento del PIB entre 1984 y 1990.

El primer gobierno del PUSC (1990-1994) fue encabezado por Rafael Ángel Calderón Fournier, el hijo de Calderón Guardia. "Junior" aprovechó el aumento en el déficit fiscal para justificar una política neoliberal más fuerte. La llamada "terapia de shock" implicó, entre otras medidas, elevar el impuesto de ventas de 10 a 13 por ciento, congelar salarios, aplicar recortes presupuestarios y reducir el empleo público (programas de movilidad laboral e inicio del cierre de los ferrocarriles nacionales, reabiertos parcialmente en el 2006). El gasto en educación, salud, vivienda y rubros afines disminuyó de 17 a 15 por ciento del PIB entre 1989 y 1992. El efecto de tal caída pronto fue visible en la reaparición de enfermedades anteriormente erradicadas y en el alza del empleo informal, de la deserción estudiantil y de los hogares ubicados bajo la línea de pobreza, que ascendieron de 27 a 32 por ciento entre 1990 y 1991.

Los trabajadores respondieron a esa "terapia" con 89 paros y huelgas entre 1990 y 1993, de los cuales 75 fueron protagonizados por empleados públicos. La crítica de la Iglesia católica también desgastó la ejecución de esa política económica, en tanto que las universidades estatales evitaron que se les recortara el presupuesto. La presión popular obligó al gobierno a abandonar el plan original, lo cual, junto con una recuperación económica, permitieron que la pobreza se redujera: entre 1994 y el 2005, en promedio, una de cada cinco familias era pobre.

El profundo descontento que provocó el primer gobierno del PUSC fue aprovechado por José María Figueres Olsen (hijo de José Figueres Ferrer). El candidato presidencial del PLN efectuó una campaña basada en la promesa de volver a las políticas anteriores a 1978, pero una vez en el poder, su administración (1994-1998) aplicó una "terapia de shock" más violenta que la de Calderón Fournier.

El Estado costarricense, en 1994, empleaba al 15 por ciento de la fuerza laboral (proporción ligeramente inferior a la de 1979), controlaba el equivalente al 60 por ciento del PIB y monopolizaba los seguros, la electricidad, la refinación de combustibles y las telecomunicaciones. El presidente Figueres Olsen, enfrentado con un déficit del gobierno central igual al 5 por ciento del PIB, firmó en abril de 1995 un pacto con Calderón Fournier, aún el líder del PUSC, para profundizar la reforma estatal.

El acuerdo pronto fue juzgado ilegítimo por la mayoría de los ciudadanos, dado que suponía desmantelar el Estado de bienestar construido entre

...Jesús nos confió el cuidado amoroso de los pobres que en nuestro país representan más del 70 por ciento de la población total... Me preocupa igualmente como Pastor el alza desmedida en el costo de la vida, consecuencia de los impuestos que golpean fuertemente a las clases más desprotegidas del país. A nombre de los pobres de mi Patria y con el mayor respeto quiero suplicar que a la hora de establecer impuestos se tengan muy en cuenta los principios de la justicia tributaria según los cuales lo que más tienen son los que deben pagar más para que los que menos tienen puedan pagar menos.

Homilía de Román Arrieta, arzobispo de San José, contra la "terapia de shock" del gobierno de Calderón Fournier, agosto de 1990.

1940 y 1978 por los propios padres de los signatarios: Calderón Guardia y Figueres Ferrer. La coalición cívica que se opuso al pacto organizó, en julio y agosto de 1995, vastas movilizaciones populares, con fuerte presencia de maestros y profesores (perjudicados por una reforma a su sistema de pensiones). Las protestas culminaron en una violenta agresión de manifestantes indefensos por fuerzas de seguridad entrenadas por carabineros chilenos.

La movilización no logró impedir que la reforma de pensiones fuera aprobada, pero sí frenó la privatización de instituciones públicas. El descontento supuso, además, el final de la estrategia

Marcha contra la reforma de la ley de pensiones, agosto de 1995.

de las dirigencias políticas de negociar programas de ajuste estructural con el Banco Mundial y el FMI, lo cual les permitía declarar posteriormente que la transformación económica e institucional de Costa Rica que impulsaban era el resultado de un acuerdo previo que no podían cuestionar.

El PUSC regresó al poder con Miguel Ángel Rodríguez (1998-2002), quien concentró sus esfuerzos en lograr una "concertación nacional" para privatizar "activos estatales", en particular el Instituto Costarricense de Electricidad. El proyecto, apodado el "combo del ICE" –según el dialecto de la industria de comidas rápidas–, fue apoyado por políticos que lo justificaron por el creciente peso de la deuda interna (casi un 27 por ciento del PIB en 1999); pero la ciudadanía lo rechazó violentamente entre marzo y abril del 2000. Las protestas espontáneas se manifestaron en bloqueos de vías, paros laborales y actos de desobediencia civil, los cuales inmovilizaron al país y obligaron al gobierno a retirar sus planes de privatización indefinidamente.

La decisiva transformación experimentada por Costa Rica desde la crisis de 1980 era evidente al terminar la década de 1990: en 1987, por vez primera en 150 años, el valor de las exportaciones de café y banano fue superado, de manera sostenida, por el de los productos no tradicionales. Los principales, entre estos últimos, eran

Los maestros heridos... a patadas en el rostro... porque protestaron en defensa de sus pensiones frente a la Casa Presidencial, mientras un sofisticado espionaje dirigido desde... esa mansión... amedrenta... a políticos y empresarios... Costa Rica está destrozada... la liza electoral... insinceramente promete panaceas que nunca se cumplen, desilusionando así la fe de los ciudadanos en las instituciones públicas, cuando los grandes retos de una República se solucionan a través de pactos clandestinos.

Fernando Guier E., abogado, junio de 1996.

Marcha contra el "combo" del ICE, marzo del 2000.

El presidente Oduber en una finca de piña, cerca de 1976.

Me senté en primera fila a escuchar la charla [dirigida a estudiantes de colegio] de este tipo de la NASA [un funcionario que visitó Costa Rica cerca de 1967] sobre cohetes y propulsión de cohetes. Él tenía copias de un folleto, "So You Want to Be a Rocket Scientist", de Werhner von Braun, el cual te decía cómo convertirte en un científico de cohetes y laborar para la NASA. Eso era lo que yo quería hacer. Fue entonces que formulé mi plan para venir a Estados Unidos.

Franklin Chang, astronauta, 2003.

los textiles, elaborados en fábricas de ensamblaje final (maquiladoras), propiedad de extranjeros y altamente móviles; la piña, una actividad controlada por la transnacional Del Monte; las plantas ornamentales y los mariscos.

Las divisas aportadas por esos y otros productos similares ascendieron de 91 a más de 1.100 millones de dólares entre 1980 y 1995, alza que contribuyó a compensar una drástica caída en el precio del café entre 1989 y 1993. El ingreso deparado por los bienes no tradicionales fue de 5.500 millones de dólares en el 2004, cuando representaron el 87 por ciento del valor de todas las exportaciones del país. La fase de mayor crecimiento fue posterior a 1996, año en que empresas de alta tecnología, lideradas por INTEL, empezaron a abrir plantas en Costa Rica con el fin de aprovechar el menor costo de la infraestructura, de los servicios públicos y de la especializada mano de obra local.

El éxodo masivo de población a Estados Unidos y a otros países industrializados, que desde la década de 1980 caracteriza al resto de Centroamérica, ha sido ajeno a Costa Rica. Los emigrantes costarricenses, sin embargo, se han convertido en una fuente más de divisas para el país, dado su fuerte componente profesional. El valor promedio anual de sus remesas se elevó de 117,5 millones de dólares entre 1994 y el 2000 a 256,6 millones entre el 2001 y el 2004; de los 302 millones enviados en este último año, tres cuartas partes venían de 45.269 personas asentadas en suelo estadounidense.

La excepcional biodiversidad de Costa Rica y la estructura de parques y reservas naturales (más de la cuarta parte del territorio nacional en el 2003) han sido la base para promocionar el país entre los ecoturistas de Europa, Canadá y, en particular, de Estados Unidos. El rápido crecimiento en el turismo foráneo empezó en 1985 y alcanzó un millón de personas en 1999; en el 2004, casi millón y medio de visitantes depararon un ingreso de 1.300 millones de dólares, un 7 por ciento del PIB.

El resultado de las nuevas actividades de exportación, en términos

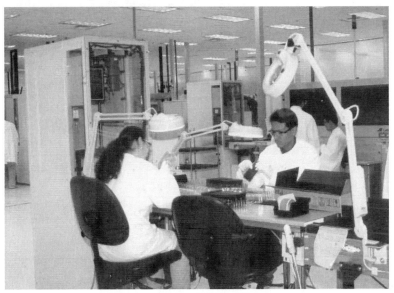

Día de trabajo en INTEL, cerca del 2000.

macroeconómicos, es evidente en el PIB, que creció a una tasa anual de 4 por ciento entre 1987 y el 2005. Los críticos indican que las industrias más rentables están poco integradas a la economía nacional y que su aporte se concentra en el pago de salarios y compras a proveedores locales. El excedente comercial de INTEL, en el 2000, fue de 900 millones de dólares, de los cuales apenas 200 millones se quedaron en el país: aunque esta cifra suponía una moderada proporción del beneficio total, representó el 74 por ciento del valor de la exportación cafetalera de Costa Rica en ese año.

Temprano estilo de promover el turismo hacia Costa Rica, 1938.

El costo ecológico de la nueva economía ha sido desigual. La tasa de deforestación alcanzó las 100.000

hectáreas anuales entre 1985 y 1988, el nivel más alto en Centroamérica y comparable con el de la destrucción del Amazonas en esos mismos años. El cultivo del banano y la ganadería, entre 1989 y 1993, se expandieron a costa de la selva tropical. El mayor control de la tala ilegal y diversos incentivos económicos, sin embargo, permitieron recuperar, a partir de la década de 1990, la cobertura forestal. Los bosques cubrían, en el 2001, casi la mitad del territorio costarricense, proporción significativamente superior a la de 1977: un tercio.

La expansión turística ha provocado algún deterioro ecológico, en especial en las áreas costeras del Caribe y Guanacaste, y las nuevas actividades agrícolas e industriales de exportación también han aumentado la contaminación. El principal problema ambiental del país, con todo, es la caótica urbanización del Valle Central, que en el 2005 albergaba dos tercios de los 4.3 millones de habitantes de Costa Rica.

La magnitud de ese desastre urbano, que se extiende de Turrialba en el este a San Ramón en el oeste, se evidencia en la desordenada expansión de los malls (cuyas áreas de comida rápida constituyen el nuevo foro de los costarricenses posmodernos) y de las urbanizaciones en tierras otrora de uso agrícola o forestal. El crecimiento de los suburbios y el cierre de los ferrocarriles, junto con una baja en los derechos

...las denuncias no han sido negadas, ni por el Instituto Costarricense de Turismo (ICT) ni por el Ministerio de Recursos Naturales, Energía y Minas (MIRENEM). Todos aceptan los destrozos [en Gandoca. Tuve]... *que sufrir para defender mi casa y la salud de mis hijos, que me amenazaran de muerte... el desastre ambiental es imparable... la política ambientalista del Gobierno* [de Calderón Fournier] *en este momento es una estafa...*

Ana Cristina Rossi, novelista, febrero de 1993.

de importación de vehículos, han estimulado la expansión de la flotilla correspondiente, que se multiplicó por 4,2 entre 1985 y el 2004. El número de personas por automotor descendió de 11 a 4,5 en ese mismo período.

El Mall San Pedro en construcción, San José, noviembre de 1993.

El impacto de la transformación económica en el mundo laboral ha sido amplio y profundo. El empleo público se redujo de 19 a 13 por ciento de las personas económicamente activas entre 1980 y el 2003, pese a que, en tal período, se crearon más de 50 nuevas entidades estatales, en su mayoría vinculadas con el modelo neoliberal, las cuales se yuxtapusieron a las establecidas antes de 1978. La población ocupada en el sector primario (principalmente en la agricultura) bajó, entre 1985 y el 2004, de 27 a 15 por ciento; la que trabajaba en el secundario (industria y construcción), se estancó en cerca de un 20 por ciento; y la del terciario (servicios) ascendió de la mitad a casi dos tercios.

Los costarricenses, en el curso de esa redistribución, tendieron a abandonar actividades como la construcción, la agricultura, la seguridad privada y el servicio doméstico, las cuales empezaron a emplear indocumentados, en particular a entre 300.000 y 400.000 nicaragüenses. La estrategia del Estado para enfrentar este proceso ha combinado la persecución y expulsión de esos trabajadores, con legalizaciones masivas (en 1990, 1993 y 1999) y con una nueva ley migratoria, aprobada en el 2005, que criminaliza a todos los involucrados en el tráfico ilegal de personas.

Los inmigrantes deben soportar intensas jornadas, abusos, inestabilidad, salarios por debajo del mínimo legal (aunque más altos que los del resto de Centroamérica) e irrespeto a los derechos laborales y humanos. Los costarricenses también han experimentado un deterioro de sus condiciones de trabajo, muy visible en las maquiladoras. Los típicos sectores medios de la edad de oro (1950-1978), compuestos por profesionales, empleados públicos, educadores y pequeños y medianos productores agrícolas, se han diversificado, al configurarse otras categorías, más vulnerables e informalizadas, vinculadas con la exportación no tradicional, el comercio, el turismo, la banca privada y nuevas

...los casos de explotación y de abusos contra los trabajadores siguen en aumento en la industria de la maquila... Los empresarios inescrupulosos [reducen]... costos desatendiendo... obligaciones como pago de horas extra, cotizaciones a la CCSS [Caja Costarricense de Seguro Social] y otras... [en] 28 empresas... se contabilizaron... 194 infracciones laborales... en la mayoría... no se pagaba el salario mínimo... y se estaba trabajando con jornadas ilegales de más de 12 horas... se detectaron casos de acoso sexual, retención de horas extras y recortes excesivos en el tiempo de descanso...

La Nación, 31 de diciembre de 1992.

Trabajadoras de maquila en la década de 1980.

actividades de servicios como centros de llamadas y casinos en línea.

El Plan Martén es la gran solución para atajar al comunismo... Moscú les ofrece teorías, yo les ofrezco con el Plan Martén, dinero. Que escojan ellos [los trabajadores] entre la teoría y el dinero: estoy seguro que si piensan y quieren un porvenir con seguridad económica para sus hijos, que escogerán el sistema solidarista... quiero ser más rico, esa es la razón primordial que me ha hecho adoptar el sistema...

Empresario cafetalero, 1954.

El deterioro en los derechos laborales se relaciona con la erosión del sindicalismo y de las vanguardias intelectuales y políticas identificadas con la justicia social. El número de sindicatos, entre 1984 y el 2004, bajó de 306 a 260, y la tasa de sindicalización cayó de 16 a 10 por ciento de la población ocupada. Las asociaciones solidaristas, en contraste, ascendieron de 862 con 32.143 trabajadores en 1986 a 1.212 en el 2004 con 197.312 socios; en este último año, tenían un fondo de 2.100 millones de dólares.

El solidarismo es una forma de organización laboral, basada en fondos de contingencia aportados por trabajadores y patronos en compañías individuales, la cual ofrece a los empleados algunos beneficios y seguridades, y le evita a la gerencia el poder negociador de los sindicatos. El modelo, primero promocionado en 1947 por Alberto Martén (un colaborador de José Figueres), tuvo una limitada expansión en la década de 1950; pero treinta años después, durante la crisis económica, se extendió rápidamente en el sector privado, apoyado por los empresarios y el Estado.

El desgaste del sindicalismo se explica por el ascenso del solidarismo, la persecución patronal, la política antisindical del Estado y los conflictos entre los mismos sindicatos. El deterioro de tales organizaciones fue precedido, además, por la crisis de la izquierda costarricense, que se destruyó en una serie de disputas internas iniciadas en 1982. La confrontación facilitó la ofensiva estatal y empresarial contra las organizaciones de los trabajadores. El período posterior se caracterizó por una pérdida de radicalismo entre intelectuales y políticos, quienes comenzaron a aliarse con sus adversarios de otrora: personas que una vez fueron destacados dirigentes izquierdistas desempeñaron puestos claves en los gabinetes de Calderón Fournier y de Figueres Olsen. El ascenso del neoliberalismo supuso la desarticulación de las vanguardias sociales y culturales del país, forjadas al calor de "ALCOA NO".

Los derechos civiles, a diferencia del deterioro de los laborales, han sido

...la izquierda no supo cómo lidiar con la especificidad de nuestra democracia... Se murió de inanición electoral... Sin embargo... la alternativa sigue siendo válida... mientras haya posiciones de derecha, se debe ser de izquierda... mientras haya injusticia social, hay... [que] luchar por un cambio... ser de izquierda es... levantarse contra las injusticias, soñar con que se puede construir un mundo mejor... Lo que importa ahora es mantener viva la esperanza y no dejarse derrotar en el campo de los sueños... sueños de un mañana mejor, más justo, y más libre para todos...

Manuel Formoso, filósofo, febrero de 1990.

...la Sala Constitucional ha venido a recordarle a los costarricenses que la Constitución Política no es texto muerto y lleno de frases retóricas, sino un conjunto normativo viviente que establece los principios cardinales en los planos político, social y económico... un gran problema para la justicia constitucional es que los funcionarios públicos no han comprendido que ellos no pueden hacer... lo que la Constitución no quiere que hagan, y que la rebeldía o desobediencia frente a la autoridad del tribunal constitucional, es rebeldía y desobediencia frente a la Constitución misma... en Costa Rica al juez común le cuesta mucho cuestionarse a la ley, a la autoridad: la actitud es hacia la defensa de la ley y no de la Constitución.

Rodolfo Piza Escalante, magistrado de la Sala Constitucional, 1992.

reforzados: en 1989, fue establecido un tribunal especial constitucional (la Sala Cuarta), y en 1992 fue creada la Defensoría de los Habitantes. El Estado comenzó, además, a impulsar programas para acrecentar las oportunidades de segmentos específicos de población, atentos a las diferencias geográficas, étnicas, de género y de edad, sin olvidar a las personas discapacitadas.

El fortalecimiento de los derechos civiles tuvo el resultado inesperado de que la Sala Cuarta, investida con el poder de anular acuerdos de la Asamblea Legislativa y del Ejecutivo, pudo limitar, en algunos casos, la reforma económica e institucional del país promovida por los neoliberales. El gobierno de Arias, a finales de 1987, otorgó una concesión a una corporación transnacional (Comcel-Millicom) para explotar la telefonía celular en el país. El contrato fue declarado inconstitucional por los magistrados en octubre de 1993, en respuesta a un recurso planteado por los trabajadores del ICE. La aprobación que los diputados dieron, en primer debate, al "combo" para privatizar a tal entidad fue también anulada por el tribunal, en abril del 2000. La corte contribuyó a que el ajuste estructural fuera gradual, tendencia que fue reforzada por la democracia: era electoralmente ventajoso impugnar el neoliberalismo, posición que fue la base para el ascenso de nuevos partidos políticos.

El énfasis dado a los derechos civiles y la promoción de lo individual fueron parte de un cambio más amplio en las políticas educativas y culturales. El gobierno de Carazo fue el primero en declarar que el financiamiento de la cultura, y en especial de sus expresiones más selectas, debería depender del mercado. El alza de una demanda especulativa para la plástica (sobre todo la pintura) se aunó con el patrocinio empresarial de festivales de teatro, conciertos de música clásica y otras actividades artísticas. La misma dinámica estuvo detrás de la filmación de ocho largometrajes costarricenses entre 1984 y el 2004: *La segua*, *Los secretos de Isolina*, *Eulalia*, *Asesinato en El Meneo*, *Password*, *Mujeres apasionadas*, *Marasmo* y *Caribe*.

La educación no se exceptuó de ese giro hacia el mercado. La proporción de escuelas particulares se elevó de uno a 7 por ciento entre 1980 y el 2004, período en el cual los colegios de esa misma índole ascendieron de 12 a 30 por ciento, y se pasó de una a 50 universidades privadas. Los casi 87.000 alumnos que asistían a estas últimas pagaron, en el 2004, unos 104 millones de dólares por prepararse en entidades que, en muchos casos, carecen de laboratorios, bibliotecas y personal académico especializado.

Los 166.000 estudiantes universitarios de Costa Rica, en el 2004, representaban un 4 por ciento de la población total (en 1967, su peso fue apenas de 0,5 por ciento). El alza contribuye a explicar por qué los costarricenses han abandonado ciertas ocupaciones, por qué el país ofrece mano de obra atractiva para industrias de alta tecnología, y por qué las nuevas generaciones de técnicos, profesionales e intelectuales ya no dependen de la expansión del Estado, sino de la del mercado.

La privatización ha avanzado también en los servicios de salud, con la apertura de clínicas y hospitales privados, y en los de seguridad. El país tenía, en 1995, 8.629 guardas civiles, en tanto que 121 compañías empleaban a 9.089 vigilantes. La brecha era mayor en el 2004: 9.825 policías públicos y 12.692 particulares.

Teatro Chic en Alajuela, en la década de 1960 (hoy es parte de un banco).

La identificación con lo privado ha sido reforzada por la transnacionalización cultural. La rápida penetración del estilo de vida estadounidense se benefició de la introducción de la televisión por cable en 1981, y luego del acceso a Internet; de la fundación de escuelas y colegios particulares con énfasis en la enseñanza del inglés; del auge de las agencias de publicidad, cuyos estereotipos proceden de Miami; y de la apertura de salas de juegos electrónicos y de tiendas de alquiler de videos. El cine fue víctima de este proceso: entre 1980 y 1995, decenas de locales rurales y urbanos cerraron sus puertas, y en los que sobrevivieron o fueron inaugurados en los malls, la exhibición fue monopolizada por las distribuidoras de Estados Unidos (con la importante excepción de la Sala Garbo).

La globalización cultural ha sido fomentada por el auge turístico, por el mayor acceso a productos de otros países promovida por el libre comercio, por la inmigración (en particular la nicaragüense) y por la expansión del protestantismo evangélico, cuya feligresía se triplicó entre 1978 y 1986, al pasar de 50.000 a más de 150.000 practicantes. La proporción de costarricenses que asistía, por lo menos ocasionalmente, a los templos de esa orientación era de cerca del 10 por ciento en 1990, y se estabilizó en alrededor de un 16 por ciento en el 2002. El mensaje de estos cultos, esencialmente conservador,

Yo le compré al polaco [vendedor a crédito] *una olla de presión y una olla arrocera a pagos. Quinientos colones* [unos $3,60] *por semana no es nada... En diciembre, la doña me dijo que quería una lavadora. Cobré unas vacaciones en la empresa, puse algo del aguinaldo y me fui caminando por el Alto de Guadalupe. En una esquina vi que estaban vendiendo una. Le pregunté a una señora qué cuánto valía. Me dijo que* ¢15.000 [unos $107], *porque era usada. Exactamente lo que yo traía en la bolsa.*

Obrero de construcción, 1993.

ha sido propagado por misiones procedentes de Estados Unidos, cuyo número se duplicó entre 1965 y finales de la década de 1970.

El avance de los evangélicos evidenció que la Iglesia había sido dejada atrás por el cambio social y cultural (la población nominalmente católica bajó de 90 a 76 por ciento entre 1985 y el 2002). La condición del catolicismo como religión oficial del Estado contribuyó a esa erosión, al asegurarle a los eclesiásticos privilegios y subsidios, al tiempo que les coarta su palabra y su obra. El intento de la institución por profundizar su compromiso con los pobres después de 1970, y especialmente durante los peores años de la crisis económica, tuvo un éxito limitado. El desgaste ha sido

Semana Santa, marzo de 1985.

agravado, además, por escándalos de corrupción y por denuncias de menores sexualmente abusados por sacerdotes.

La pérdida de influencia de la Iglesia está estrechamente relacionada con la profundización de la secularización social, evidente en los datos demográficos. El tamaño completo de familia bajó de 7 a 2 hijos entre 1960 y el 2005. Los hogares, cada vez más pequeños, fueron crecientemente encabezados por mujeres: entre 1987 y el 2003, las jefaturas femeninas se elevaron de una en seis a una en cuatro. El número de divorcios por cien matrimonios ascendió de 15 en 1990 a 41 en el 2004. La ilegitimidad también se incrementó enormemente, al subir, en ese período, de 39 a 59 por ciento del total de nacimientos.

La modificación en la estructura familiar significa que en la Costa Rica actual la población en edad de trabajar supera a la que está en condición de dependencia (personas menores de 15 o mayores de 65 años). El proceso de transición demográfica se vincula con la creciente participación femenina en la fuerza laboral: pasó de un quinto a un tercio entre 1973 y el 2005. Los espacios para la mujer en las profesiones, los negocios, la política y las artes, se ampliaron durante las décadas de 1980 y 1990. Las figuras más importantes en la actual literatura costarricense son mujeres: la novelista Tatiana Lobo, la

Obreras bananeras, diciembre de 1992.

poetisa y actriz Ana Istarú y Ana Cristina Rossi, autora de *La loca de Gandoca*, una novela sobre el turismo y el daño ecológico en el Caribe.

El decenio de 1980 presenció la configuración de un dinámico movimiento feminista, compuesto por intelectuales y profesionales, que se concentró en luchar contra la violencia doméstica y la inequidad de género, en particular la que afecta la participación política y el empleo público. La presión ejercida logró que en 1997 se aprobara una reforma que obligó a los partidos a asignar a las mujeres al menos cuatro de cada diez puestos elegibles. El resultado fue que, entre 1986 y el 2006, la proporción de diputadas ascendió de 12 a 39 por ciento, y la de regidoras de 6 a 40 por ciento. La defensa sistemática de los derechos de las trabajadoras, en contraste, no ha sido priorizada por tales activistas.

El trasfondo de tal desinterés es la consolidación de culturas de clase. La distinción, asociada con el consumo de productos de marca y el acceso a servicios privados en diversas áreas (educación, salud y seguridad), se expresa, con toda su fuerza, en la segregación residencial. El modelo de ciudades cuyo espacio era –desigualmente– compartido por distintos grupos sociales, dominante antes de 1980, ha sido sustituido por otro, que separa a los sectores populares de las capas medias y de las cúpulas políticas y empresariales.

Nos llevan un registro de cuándo nos toca la regla para pedirnos la muestra de orina y controlar si estamos embarazadas. A veces nos piden que enseñemos la toalla sanitaria. Una se siente tan humillada cuando el doctor hace eso. Nos incapacitan cuando el médico decide, o sea, nunca, y usted no tiene cómo pelear su derecho porque no le dan permiso para ir al Seguro. Los inspectores de Trabajo? Muy bien gracias. Sólo porque necesitamos el trabajo se aguanta esto.

Obrera de maquila, 1995.

La proporción de hogares bajo la línea de pobreza se ha estabilizado en un 20 por ciento, pero la brecha social y cultural tiende a incrementarse. El censo del año 2000 patentiza que el 77 por ciento de los costarricenses poseían casa propia, y que del total de hogares, más del 80 por ciento tenían agua potable y electricidad y disponían de televisor a color, refrigeradora y lavadora. El coeficiente Gini (que mide la desigualdad entre un mínimo de 0 y un máximo de 1) ascendió, en contraste, de 0,3577 a 0,4750 entre 1988 y el 2004.

La segregación que caracterizó la expansión urbana de finales del siglo XX, en un contexto de disminución de la seguridad pública, ha contribuido a un cambio en la criminalidad. Las pandillas juveniles, configuradas en la década de 1990, no alcanzaron el tamaño ni el grado de organización de las temidas "maras" de Guatemala, El Salvador y Honduras. El mundo del crimen, sin embargo, se ha profesionalizado en términos de sus armas, estrategias y vínculos con autoridades electas, ejecutivos y abogados.

La influencia del crimen organizado es visible en la creación de redes de prostitución femenina y masculina de adultos y menores de edad, por lo general vinculadas con el turismo (tema del filme *Password*, estrenado en el 2002), y en la operación de bandas especializadas en asaltar bancos, robar autos y ejecuciones a sueldo. El periodista de

Una amiga del precario me presentó a unos señores y ella me explicó lo que tenía que hacer, luego me hice novia de un taxista, ya terminamos, pero él es muy bueno conmigo, me presenta a señores, a veces él mismo me lleva a los moteles, cuando son extranjeros, como gringos, entre los dos sacamos buena plata.

Joven de 17 años de edad, cerca del 2001.

...he fumado marihuana hasta en los caños de San José. Cuando vivíamos en Desamparados me había hecho bien despiche. Me juntaba con una hembrilla que era bien rata, aunque estaba bien rica. Una vez nos metimos a robar y nos agarró la policía. Estuvimos detenidos. Ahora no fumo marihuana en la calle porque al momento se lo cargan a uno. Se juntan unos cuantos, empieza el desmadre y llega la policía.

Obrero de construcción, cerca de 1992.

Vejez y pobreza, cerca del 2005.

origen colombiano, Parmenio Medina, fue una de sus víctimas: cayó asesinado en el 2001 por denunciar graves irregularidades en una emisora católica.

La identidad nacional fue construida sobre la base de imaginar a Costa Rica como una nación de personas blancas, pacíficas, seguras, igualitarias, rurales y campesinas, y orientadas a la búsqueda de la justicia social. Los costarricenses, a inicios del siglo XXI, se han descubierto como una sociedad pluricultural y multirracial, urbanizada, insegura, crecientemente diferenciada, y en procura de mayores niveles de competitividad y consumo. La crisis identitaria resultante, evidente en el pesimismo y la incertidumbre manifestada en las encuestas de opinión, se ha combinado con el creciente malestar de una significativa parte de la población por el aumento en la desigualdad y la corrupción.

La injusticia en la tributación ha sido un componente clave de la inequidad: entre 1990 y el 2004, la carga impositiva del gobierno central apenas se elevó de 11 a 13 por ciento del PIB (un nivel similar al de 1984). El peso del impuesto de la renta, después de cinco reformas fiscales efectuadas en ese período, únicamente ascendió de 14 a 24 por ciento del total de ingresos tributarios. El fisco, además, está fuertemente afectado por la evasión, estimada entre un mínimo del 3 y un máximo del 10 por ciento del PIB (entre 500 y 1.500 millones de dólares por año).

La defraudación fiscal no es una excepción. La corrupción ha sido inherente a la transformación neoliberal. La venalidad política, limitada antes de 1948, se amplió y profundizó tras ese año, al expandirse el sector público, y alcanzó dimensiones sin precedente a partir de la década de 1980, a medida que los ideólogos del neoliberalismo deslegitimaban el Estado de bienestar y sus controles sobre la economía.

Las conexiones políticas, familiares y de negocios han sido utilizadas por muchos empresarios y políticos para aumentar su riqueza mediante el contrabando, el tráfico de influencias, el clientelismo y el desfalco de fondos de la banca estatal. El caso más destacado de este nuevo estilo de super-corrupción, en la década de 1990, fueron los Certificados de Abono Tributario (CATs), cuyo fin era fomentar los productos no tradicionales. El incentivo condujo a crear firmas que simulaban exportaciones para reclamar el reembolso fiscal con documentos falsos. El Estado transfirió a diversas empresas, incluidas algunas corporaciones transnacionales, 1.000 millones de dólares en CATs entre 1984 y 1999.

Las operaciones especulativas, las irregularidades en la concesión de préstamos y el peculado condujeron, en 1994, al colapso del Banco Anglo Costarricense, tras descubrirse pérdidas por

Con todos los dineros que se han robado, ¡cuántas casitas para tanta gente pobre se hubieran hecho!

Vecino de Desamparados, octubre del 2004.

...*comprobó la Comisión que, al igual que en otros países, en Costa Rica se estaba presentando el fenómeno de penetración del narcotráfico en los poderes del Estado, en las instituciones de crédito y [en] muchas otras actividades públicas y privadas con el fin de procurarse influencias y ayudas cuando fueren necesarias para el trasiego de drogas o el lavado de dinero.*

Asamblea Legislativa de Costa Rica, Segundo informe de la Comisión de Narcotráfico, julio de 1989.

la suma de 54,5 millones de dólares. El cierre de esta institución (la más antigua del país, puesto que fue fundada en 1863) dejó sin empleo a más de 1.700 personas. Los costos del colapso, asumidos por el Estado, fueron mayores que haber recapitalizado el banco: la deuda interna del gobierno central ascendió en casi 10 por ciento del PIB entre 1994 y 1996 (alza que luego fue utilizada como excusa para justificar la venta de activos estatales).

La corrupción que se configuró en la década de 1980 pronto evidenció su vinculación con el mundo criminal. El estallido de las revoluciones en Centroamérica introdujo el tráfico de armas, el cual preludió el trasiego, a gran escala, de narcóticos. Los principales

Marcha de empleados contra el cierre del Banco Anglo Costarricense,
13 de septiembre de 1994.

impulsores de ambas actividades fueron funcionarios estadounidenses (en particular de la CIA), que promovieron el tráfico de drogas para financiar armamento ilegal con el cual equipar a las guerrillas anticomunistas de los contras, que luchaban en Nicaragua.

El escándalo Irangate se olvidó pronto, pero los carteles colombianos, en busca de sitios seguros para trasegar su mercancía y de oportunidades para lavar dinero, penetraron profundamente los círculos políticos, empresariales y profesionales de Costa Rica (en 1997, 63 firmas fueron investigadas por –al parecer– utilizar CATs para el lavado de fondos del narcotráfico internacional). Las autoridades estadounidenses a cargo de perder la costosa, cruel y completamente ineficaz "guerra contra las drogas", estimaron que en 1990 al menos 12 toneladas de cocaína ingresaban por año a Estados Unidos vía Costa Rica, cálculo que elevaron a 50 toneladas en 1997, y a 70 toneladas en el 2001.

El impacto de la corrupción fue enorme en un sistema político en el que la desaparición de las diferencias ideológicas entre el PLN y el PUSC ponía en crisis las identidades y lealtades partidistas. El creciente desencanto de los ciudadanos con la política se expresó en la asistencia a las urnas, que bajó de un promedio de 81 por ciento entre 1962 y 1994 a 70 por ciento en 1998. Las proporciones de votos presidenciales y diputadiles capturadas, en este último

¿Se puede tener confianza en la justicia?, un 53% de los entrevistados está en desacuerdo. ¿Los diputados legislan en beneficio propio?, 76% a favor. ¿El Gobierno le robó las pensiones a los educadores?, 50% a favor... ¿La propaganda del Gobierno engaña al pueblo?, 82% de acuerdo. ¿La política actual del Gobierno aumenta la pobreza?, 84% de acuerdo. ¿Las promesas de campaña son una estafa política?, 88% de acuerdo.

Opiniones de los costarricenses, Encuesta Nacional Anual, Universidad de Costa Rica, septiembre de 1996.

Los patronos dan tiempo libre a sus trabajadores para que apoyen el TLC, octubre del 2005.

Me parece que el único camino [para derogar la prohibición de la reelección presidencial] *es una reforma constitucional en la Asamblea Legislativa. La Sala Constitucional no tiene nada que ver con esto. Sería burlar a 57 diputados si uno esquiva el debate en el Parlamento. Sería una actitud antidemocrática tocar las puertas del Poder Judicial.*

Óscar Arias, diciembre 1999.

año, por tales partidos mayoritarios fueron de 92 y 76 por ciento, en contraste con el 98 y el 87 por ciento logrado en promedio entre 1986 y 1994.

La asistencia cayó por debajo del 70 por ciento en el 2002, cuando el PLN y el PUSC apenas capturaron el 70 por ciento de la votación presidencial y el 57 por ciento de la diputadil. El umbral del 40 por ciento de los votos válidos, necesario para ganar la presidencia, no fue alcanzado por ningún candidato, por lo que fue preciso, por vez primera en la historia de Costa Rica, ir a una segunda vuelta, en la que triunfó el aspirante del PUSC, Abel Pacheco (2002-2006). Los neoliberales, durante su gobierno, utilizaron una nueva estrategia para impulsar la privatización de activos estatales: aprovecharon la negociación de un tratado de libre comercio entre Centroamérica, Estados Unidos y República Dominicana (TLC) para incluir, en el último minuto y como parte del convenio, la "apertura" de diversos servicios públicos, en particular seguros y telecomunicaciones, a la competencia con el sector privado.

La profunda división provocada por la negociación del TLC fue complicada por las peculiaridades de la campaña electoral del 2005-2006. La Sala Cuarta, en el 2003, tomó una polémica decisión que le permitió a Óscar Arias postularse otra vez a la presidencia (la reelección presidencial había sido prohibida en 1969), lo cual provocó una aguda crisis en el PLN. El descubrimiento, en el 2004, de irregularidades asociadas con un préstamo finlandés por 39,5 millones de dólares para la compra de equipo médico, se aunó con la denuncia de intercambios de influencia por dinero, relacionados con la adquisición de 400.000 líneas de telefonía celular a una compañía francesa. Las acusaciones, que involucraron a la corporación Fischel (Costa Rica), a Alcatel (Francia), a Instrumentarium (Finlandia), a la Caja Costarricense de Seguro Social y al ICE, condujeron al arresto y prisión preventiva de importantes líderes empresariales y políticos, incluidos los ex presidentes Calderón Fournier y Rodríguez. El ex mandatario Figueres Olsen ha rechazado regresar al país para declarar ante los investigadores que dirigen el caso.

La mayoría del sector empresarial y los principales medios de comunicación, en tales circunstancias, apoyaron a Arias, quien se pronunció fuertemente a favor del TLC. El presidente Pacheco, entretanto, pospuso enviar ese acuerdo a la Asamblea Legislativa, lo cual provocó, entre fines del 2004 e inicios del 2005, la renuncia del equipo que lo negoció. La prensa más poderosa del país respondió a la cautelosa posición del mandatario con una campaña sistemática dirigida a desprestigiar su administración, en la cual –debe resaltarse– la lucha contra

...quiero citar sólo tres de ellas que ahora son para muchos apenas instituciones burocráticas: el Instituto Nacional de Seguros (1924), la Caja Costarricense de Seguro Social (1941-1943) y el Instituto Costarricense de Electricidad (1949). El Tratado de Libre Comercio propone modificarlas para que se adapten a las nuevas circunstancias y a los viejos intereses, según las poderosas conveniencias de grandes grupos internacionales.

Eugenio Rodríguez, ex rector de la Universidad de Costa Rica, septiembre del 2005.

Docentes y estudiantes contra el TLC, noviembre del 2005.

...por respeto a la memoria de Rodrigo, mi familia y yo hemos resuelto solicitar que su nombre sea inmediatamente retirado del instituto de formación del Partido Liberación Nacional. No queremos que el nombre de Rodrigo Facio Brenes siga asociado con una entidad que ya no representa sus ideales, ni refleja sus aspiraciones, ni acompaña su pensamiento transformador. Tampoco queremos que su imagen se vincule al Partido que ayer defendía al Estado Social de Derecho y que hoy es cómplice de quienes lo mancillan y buscan su exterminio...

Leda Fernández, viuda de Rodrigo Facio, mayo del 2006.

la corrupción se intensificó como nunca antes en la historia de Costa Rica.

La aguda erosión del sistema bipartidista –desgaste que limitó el margen de maniobra de los neoliberales en los gobiernos previos de Rodríguez y de Pacheco– favoreció también el ascenso de nuevas organizaciones. Las más importantes son el Movimiento Libertario, fundado en 1994 como un vástago ultraneoliberal del PUSC, y el Partido Acción Ciudadana (PAC), establecido en el 2000 como un brote socialdemócrata del PLN. El resultado de las elecciones del 2006 fue sorprendente: con una asistencia de escasamente 65 por ciento, el PLN y el PUSC capturaron un modesto 44 por ciento de la votación para presidente y diputados; y Arias aventajó a su principal rival, Ottón Solís del PAC, por apenas el uno por ciento de los sufragios válidos.

La sociedad costarricense, con una Asamblea Legislativa dividida, en la que ningún partido tiene mayoría, y con una vasta oposición civil al TLC, escogerá en el futuro cercano si el neoliberalismo es reforzado o si una estratégica infraestructura pública permanece bajo control del Estado. La decisión será tomada en medio de la conmemoración del sesquicentenario de la Campaña Nacional, una guerra en la cual la población de Costa Rica luchó en defensa del orden institucional y social existente en el país.

EPÍLOGO

EXCEPCIONALISMO COSTARRICENSE

La incertidumbre sería un inadecuado final para esta breve historia de Costa Rica. El pasado del país, en su conjunto, es motivo para el optimismo: pese a una relativa miseria colonial y depender –en el siglo XIX y la mayor parte del XX– de uno o dos productos agrícolas de exportación, sus habitantes construyeron una democracia política con un alto grado de justicia social en un área en la que han prevalecido dictaduras y desigualdades grotescas. La nación que inventaron es la única, en América Latina, que ha gozado de una consistente e ininterrumpida vida democrática desde 1950. Los costarricenses están justificablemente orgullosos de esos logros excepcionales.

El éxito de Costa Rica se ha basado en una extraordinaria capacidad

De paseo.

...durante los dos años que pasé en Costa Rica a principios de los 80... incluso en comunidades... alejadas de Guanacaste vi que los dentistas hacían visitas periódicas para examinar a la población, que en las escuelas locales los niños recibían alimentos calientes... que los ancianos y los discapacitados a menudo recibían pensiones, y que incluso muchos pequeños productores o jornaleros eran asegurados por la Caja mediante parientes... Vengo, por supuesto, de una sociedad dañada en forma severa... por los doce años de la locura del mercado libre de Reagan y Bush, que se asemeja al modelo impuesto en Costa Rica desde mediados de los años 80... considero útil ver en Costa Rica un experimento significativo y una alternativa histórica en un mundo en el cual... existe ahora un solo modelo económico, cuyo valor par la gran mayoría está aún sujeto a comprobación.

Marc Edelman, antropólogo estadounidense, 1993.

para adaptar los procesos globales de cambio a su propia situación local, mediante ajustes graduales que le han permitido a la mayoría de la población acomodarse lentamente a las nuevas condiciones económicas e institucionales. El modelo escogido fue, antes de 1950, crecimiento agroexportador con una política social compensadora, una economía mixta entre 1950 y 1978, y desde este último año, apertura comercial con un amplio sector público. La permanente búsqueda costarricense de una vía alternativa confirma que las sociedades del Tercer Mundo también hacen su propia historia, aunque bajo circunstancias que no determinan.

Los costarricenses edificaron, en los intersticios dejados por los procesos políticos y económicos mundiales, una sociedad inusualmente democrática e igualitaria. El desafío actual es más intenso que nunca antes y el espacio de maniobra es extremadamente reducido; pero hasta ahora han encontrado una vía para darle nueva vida a su particular utopía, en un mundo dominado por el capitalismo globalizador. La elaboración de capítulos adicionales de la historia de Costa Rica, en tanto ese logro persista, será necesaria para explicar el futuro de un país que descubrió, hace mucho tiempo, que el único camino que vale la pena recorrer es el que combina desarrollo cultural, justicia social y democracia.

CRONOLOGÍA

Año	Costa Rica	El Mundo
12000-8000 a. C.	Ocupación del actual territorio de Costa Rica por cazadores y recolectores.	Paleolítico.
8000-4000 a. C.	Sedentarización inicial y domesticación accidental de las plantas.	Neolítico.
4000-1000 a. C.	Transición a la producción de alimentos.	Edad de los metales; Antiguo Imperio en Egipto.
1000 a. C.-800 d. C.	Consolidación de la agricultura.	Civilizaciones griega y romana; temprana Edad Media en Europa; imperio maya en el norte de Centroamérica y el sur de México.
800-1500 d. C.	Auge de los cacicazgos y creciente diferenciación social en las sociedades indígenas.	Feudalismo; Renacimiento; expansión ultramarina europea; imperios azteca en el Valle de México e inca en los Andes.
1492		Los europeos descubren América.
1502	Colón desembarca en Cariay (actualmente Limón).	

Año	Costa Rica	El Mundo
1510-1570	Conquista y catástrofe demográfica de la población indígena.	Caída de Tenochtitlán (1521) y fundación de Lima (1535).
1564	Fundación de Cartago (capital colonial) por Vázquez de Coronado.	
1569	Distribución de encomiendas por Perafán de Rivera.	
1570		Creación de la Audiencia de Guatemala.
1590	Inicio del comercio de mulas.	
1620-1720		Crisis en Europa; decadencia de España y ascenso económico de Inglaterra y Holanda.
1635	Aparición de la Virgen de Los Ángeles, según la tradición.	
1650	Crecimiento de la exportación de sebo y cuero a Panamá.	
1660	Expansión del cultivo de cacao e importación de esclavos negros.	
1702		Dinastía Borbón en España.
1706	Fundación de Heredia.	
1709	Sublevación de los indígenas de Talamanca.	
1710	Ejecución del líder rebelde, Pablo Presbere.	
1736	Fundación de San José.	
1750	Apertura del mercado guatemalteco para el ganado en pie del Pacífico.	Expansión de la producción de añil en el norte de Centroamérica; Ilustración y fase inicial de la industrialización en Europa occidental.
1760	Expansión del cultivo del tabaco.	Reformas borbónicas en España e Hispanoamérica.
1766		Estanco del tabaco establecido en la Audiencia de Guatemala.

Año	Costa Rica	El Mundo
1776		Revolución independentista de Estados Unidos.
1781	Factoría de Tabacos establecida en San José.	
1782	Fundación de Alajuela.	
1789		Revolución Francesa.
1808	Motines contra el estanco del tabaco.	Invasión napoleónica de España.
1810		Inicio de los movimientos de independencia en Hispanoamérica (1810-1824).
1812	Motines contra el estanco del licor.	Constitución de Cádiz.
1814	Fundación de la Casa de Enseñanza de Santo Tomás en San José.	
1820	Auge minero en los Montes del Aguacate (1820-1843).	
1821	Independencia de Centroamérica (15 de septiembre).	Imperio mexicano de Iturbide (1821-1823).
1822	Aprobado el libre comercio.	
1823	Batalla de Ochomogo (5 de abril); San José se convierte en capital.	
1824	Anexión del Partido de Nicoya (25 de julio).	Fundación de la República Federal de Centroamérica.
1830	Introducción de la imprenta; auge en la exportación de palo brasil.	Francisco Morazán preside la República Federal de Centroamérica (1830-1839).
1835	Guerra de la Liga (octubre), ganada por San José.	
1838	Dictadura de Carrillo (1838-1842).	
1840	Inicia auge en la exportación de café.	Morazán derrotado por los rebeldes guatemaltecos; fin de la República Federal de Centroamérica.
1842	Morazán jefe de Estado tras deponer a Carrillo (abril); caída y fusilamiento de Morazán (septiembre).	

Año	Costa Rica	El Mundo
1843	Creación de la Universidad de Santo Tomás en San José.	
1848	Declarada la república de Costa Rica (30 de agosto); nueva constitución despoja a miles de costarricenses de su ciudadanía.	Marx y Engels publican *El manifiesto comunista.*
1849	Ascenso al poder de Juan Rafael Mora (1849-1859).	Transporte de pasajeros de la costa este a la oeste de Estados Unidos por el río San Juan.
1856	Campaña Nacional contra William Walker: batalla de Rivas (11 de abril de 1856); epidemia de cólera acaba con cerca del 8 por ciento de la población (mayo a julio de 1856); rendición de Walker (1 de mayo de 1857).	
1859	Caída de Juan Rafael Mora, ejecutado en 1860; nueva Constitución establece el sufragio universal masculino en las elecciones de primer grado.	
1861		Guerra civil en Estados Unidos (1861-1865).
1870	Dictadura de Tomás Guardia (1870-1882); inicia la construcción del ferrocarril a la costa Caribe (1870-1890).	Segunda Revolución Industrial en Europa y Estados Unidos; Comuna de París.
1871	Promulgada la Constitución de 1871 (vigente hasta 1948, con excepción de los años 1876-1882 y 1917-1919).	
1877	Abolida la pena de muerte (decreto incorporado a la Constitución en 1882).	
1880	Inicio de la reforma liberal y de la exportación bananera; el culto a la Virgen de los Ángeles, promovido por la Iglesia, empieza a difundirse fuera de Cartago y a adquirir un carácter nacional.	
1884	Expulsión del obispo y de las órdenes religiosas; firma del contrato Soto-Keith.	
1885	Según el censo electoral, 63 por ciento de los varones costarricenses de 20 años y más están inscritos para votar.	

Año	Costa Rica	El Mundo
1889	Levantamiento popular en defensa de la victoria electoral del candidato de la oposición, José Joaquín Rodríguez (7 de noviembre); fundación de los primeros partidos políticos.	
1890	Creciente organización de artesanos y obreros urbanos.	
1891	Inaugurada en Alajuela la estatua de Juan Santamaría, héroe de Rivas.	
1895	Inaugurado el Monumento Nacional.	
1896	Moneda costarricense cambia de peso a colón.	
1897	Inaugurado el Teatro Nacional con *Fausto* de Gounod; inicia la construcción del Ferrocarril al Pacífico (1897-1910); primeras películas en San José.	Colapso de los precios del café (1897-1907).
1899		Fundación de la United Fruit Company.
1900	Joaquín García Monge publica *El moto* e *Hijas del campo*, las primeras novelas costarricenses.	
1902	Fin del gobierno autoritario de Rafael Iglesias (1894-1902) y apertura democrática; en las primeras tres décadas del siglo XX, la proporción de varones costarricenses inscritos para votar sube al cien por ciento, la asistencia a las urnas en 1905 y 1909 supera el 72 por ciento y asciende el gasto público en educación, salud e infraestructura.	
1903		Estados Unidos patrocina la independencia de Panamá.
1907	Denuncia de que la teoría de la evolución se enseña en un colegio de Heredia inicia el más importante conflicto religioso del siglo XX.	
1910	Terremoto destruye Cartago; pánico provocado por el cometa Halley.	Comienza la revolución mexicana (1910-1920).
1913	Los trabajadores celebran el primero de mayo; aprobación del voto directo.	

Año	Costa Rica	El Mundo
1914	Gobierno reformista de Alfredo González Flores (1914-1917).	Apertura del Canal de Panamá; Primera Guerra Mundial (1914-1918).
1917	Dictadura de los Tinoco (1917-1919).	Revolución bolchevique en Rusia.
1919	Tras la caída de la dictadura de los Tinoco, la política se vuelve más competitiva y los sectores populares urbanos y rurales tienen más opciones para canalizar sus demandas electoralmente.	
1920	Huelgas por la jornada de ocho horas; influenza mata a más de 2.000 personas.	
1923	Fundación del Partido Reformista y de La Liga Feminista (12 de octubre).	
1925-1927	Aprobado el voto secreto, rechazado el femenino.	
1927	Creada Secretaría de Salubridad Pública.	Lucha de Sandino contra la ocupación estadounidense de Nicaragua (1927-1934).
1928	Creada Secretaría de Trabajo; inicio de las Exposiciones de Artes Plásticas (1928-1937).	
1929	Pánico moral en San José: consumo de heroína entre artesanos y obreros.	Comienza crisis mundial del capitalismo.
1930	Inicio de la crisis económica.	
1931	Fundación del Partido Comunista.	
1932	Fundación de la Asociación Nacional de Productores de Café.	
1933	Creación del Instituto de Defensa del Café.	
1934	Huelga de los trabajadores bananeros en el Caribe.	
1936	Reformas bancarias, base del Banco Nacional y de la Superintendencia General de Bancos.	Frente Popular en España y Francia, guerra civil española (1936-1939).
1939		Segunda Guerra Mundial (1939-1945).

Año	Costa Rica	El Mundo
1940	Elección de Rafael Ángel Calderón Guardia e inicio de la reforma social; fundación del Centro para el Estudio de los Problemas Nacionales.	
1941	División del Republicano Nacional en calderonistas y cortesistas; inicia ciclo de polarización e inestabilidad políticas que se prolongará hasta finales de la década de 1950.	
1945	Comienza auge económico de la posguerra.	Inicio de la guerra fría (1945-1989).
1948	Guerra civil ganada por el Ejército de Liberación Nacional, dirigido por José Figueres; persecución de calderonistas y comunistas.	
1949	Fundada la segunda república; promulgada Constitución de 1949; derecho al voto para mujeres y afrocaribeños.	Victoria de los comunistas chinos.
1951	Fundación del Partido Liberación Nacional (PLN).	
1955	Fallida invasión de fuerzas apoyadas por la dictadura de Somoza que se proponían derrocar el gobierno de José Figueres.	
1959		Revolución cubana.
1960	Debut de la televisión.	Tratado General de Integración Centroamericana.
1961		Kennedy anuncia la Alianza para el Progreso, el "plan Marshall" para América Latina.
1962	Protesta pública en Cartago contra alza en tarifas eléctricas es brutalmente reprimida por la policía con saldo de tres muertos y 40 heridos (23 de noviembre).	
1963	Costa Rica se une al Mercado Común Centroamericano; capital extranjero domina industria costarricense	
1964		Comienza intervención militar de Estados Unidos en guerra de Vietnam.

Año	Costa Rica	El Mundo
1968		Rebelión estudiantil en Occidente; primavera de Praga.
1969	Prohibida la reelección presidencial.	Los primeros hombres en la Luna.
1970	Protestas estudiantiles contra concesiones a la transnacional minera, ALCOA (24 de abril).	
1972	Creación de CODESA.	Terremoto en Managua.
1973		Crisis petrolera.
1974	Daniel Oduber electo presidente; crecimiento del Estado empresario.	
1975	Reforma del artículo 98 de la Constitución que había mantenido ilegalizado al Partido Comunista desde 1949.	
1978	La economía rumbo a la crisis.	
1979		Revolución sandinista en Nicaragua.
1980	Estalla la crisis económica; creciente tráfico de armas y drogas.	Profundización de la guerra revolucionaria en El Salvador y Guatemala; Ronald Reagan electo presidente de Estados Unidos (1980-1988).
1982	Inicio de la crisis de los partidos de izquierda.	
1983	Fundación del Partido Unidad Social Cristiana (PUSC) y consolidación del bipartidismo; Costa Rica proclama su neutralidad; inicio de la ayuda masiva estadounidense con tal que Costa Rica se sume a la lucha contra el comunismo en Centroamérica.	Intervención creciente de Estados Unidos en los conflictos centroamericanos.
1984	Masiva marcha popular por la paz en San José; predominio de los neoliberales en el PLN.	
1986	Creación del Centro Nacional para el Desarrollo de la Mujer y la Familia, transformado en el Instituto Nacional de las Mujeres en 1998.	

Año	Costa Rica	El Mundo
1987	El presidente Óscar Arias es galardonado con el Premio Nóbel de la Paz; auge en los productos de exportación no tradicionales, cuyo valor supera el de las ventas de café y banano.	Firma del Plan de Paz para Centroamérica.
1989	Aguda caída en el precio internacional del café (1989-1993); creación de la Sala Constitucional del Poder Judicial (Sala Cuarta).	Caída del muro de Berlín y fin del socialismo en Europa occidental; Estados Unidos invade Panamá.
1990	La Selección Nacional de Fútbol gana dos partidos en el Campeonato Mundial y avanza a la segunda fase; auge turístico; el gobierno de Calderón Fournier inicia la "terapia de shock"; al menos 12 toneladas de cocaína ingresan a Estados Unidos vía Costa Rica.	Derrota electoral de los sandinistas en Nicaragua; profundización del proceso de paz en El Salvador.
1991	Intensificación del ajuste neoliberal; protestas universitarias masivas contra los recortes presupuestarios del gobierno de Calderón Fournier.	Movimiento pro democracia aplastado en Tiananmen, Beijing; colapso de la Unión Soviética; guerra del Golfo.
1992	Creada la Defensoría de los Habitantes.	Fin de la era Reagan-Bush.
1994	Cierre del Banco Anglo Costarricense (fundado en 1863), debido a corrupción masiva; proporción de hogares pobres baja a 20 por ciento y se estabiliza en ese nivel.	Genocidio en Ruanda.
1995	Pacto político entre Figueres Olsen y Calderón Fournier, apoyado por las dirigencias del PLN y el PUSC, para profundizar el ajuste neoliberal de la economía; vastas movilizaciones populares contra ese acuerdo.	
1996	Aumenta presión para privatizar el ICE; bancos privados empiezan a operar cuentas corrientes (una opción que no tenían desde 1948).	Segunda derrota electoral sandinista en Nicaragua.
1997	INTEL inicia operaciones; al menos 50 toneladas de cocaína ingresan a Estados Unidos vía Costa Rica; partidos políticos obligados a asignar un mínimo de 40 por ciento de los puestos elegibles a mujeres.	
1998	Asistencia a las urnas en la elección presidencial cae a 70 por ciento.	

Año	Costa Rica	El Mundo
2000		Controversial y cuestionable elección de George W. Bush a la presidencia de Estados Unidos.
2001	Masivas movilizaciones populares en marzo y abril contra el proyecto para privatizar el ICE y otras instituciones públicas.	Ataque contra las torres gemelas en Nueva York (11 de septiembre); Estados Unidos invade Afganistán.
2002	Se profundiza crisis en el sistema bipartidista; por vez primera, es necesaria una segunda vuelta en la elección presidencial ya que ningún candidato logró más del 40 por ciento de los votos (umbral mínimo para ser declarado ganador).	
2003	Centroamérica y Estados Unidos negocian un Tratado de Libre Comercio (TLC); la Sala Cuarta deroga la prohibición de la reelección presidencial.	Repudio mundial a la invasión de Iraq por Estados Unidos y Gran Bretaña.
2004	Los ex presidentes Rafael Ángel Calderón Fournier y Miguel Angel Rodríguez encarcelados por cargos de corrupción; el ex presidente José María Figueres Olsen rechaza regresar al país para declarar acerca de pagos recibidos de la transnacional ALCATEL; el presidente Abel Pacheco pospone enviar el Tratado de Libre Comercio (TLC) a la Asamblea Legislativa; los principales medios de comunicación inician campaña sistemática para desprestigiar al gobierno de Pacheco.	Tsunami mata a más de 230.000 personas alrededor del océano Índico; China es la quinta economía más grande del mundo; ocho países de Europa oriental se integran a la Unión Europea.
2005	Nueva ley migratoria criminaliza a todos los involucrados en el tráfico ilegal de personas.	Ataque contra los sistemas de transporte de Madrid y Londres.
2006	Óscar Arias gana la presidencia por un estrecho margen; Costa Rica conmemora el sesquicentenario de la derrota de William Walker en un contexto dominado por movilizaciones populares contra el TLC.	Estados Unidos militariza la frontera con México; guerra civil en el Irak ocupado.

BIBLIOGRAFÍA

General

Bulmer-Thomas, Victor, *The Political Economy of Central America since 1920*. Cambridge, Cambridge University Press, 1987.

Edelman, Marc y Kenen, Joanne, eds., *The Costa Rica Reader*. New York, Grove Weidenfeld, 1989.

Palmer, Steven y Molina, Iván, eds., *The Costa Rica Reader: History, Culture, Politics*. Durham y Londres, Duke University Press, 2004.

Pérez, Héctor, *Breve historia contemporánea de Costa Rica*. México, Fondo de Cultura Económica, 1997.

Pérez, Héctor, *A Brief History of Central America*. Berkeley, University of California Press, 1989.

Torres-Rivas, Edelberto, et al., *Historia general de Centroamérica*, 6 vols. Madrid, FLACSO-Quinto Centenario, 1993.

Woodward, Ralph Lee, Jr., *Central America: A Nation Divided*, 3a. edición. New York, Oxford University Press, 1999.

Sitios en Internet

http://nacion.com/
   La Nación, el más importante diario costarricense, con numerosos enlaces, un archivo gratuito y una edición en inglés.

http://www.ticotimes.net/
   Útil semanario costarricense en inglés.

http://www.semanario.ucr.ac.cr/
  Semanario de la Universidad de Costa Rica, el periódico más independiente del país.
http://www.casapres.go.cr/
  Presidencia de Costa Rica, con enlaces a la mayoría de los ministerios
  e instituciones autónomas.
http://www.tse.go.cr/
  Tribunal Supremo de Elecciones, con resultados electorales y otros
  datos políticos de 1950 en adelante.
http://www.inec.go.cr/
  Instituto Nacional de Estadística y Censos de Costa Rica, con acceso
  gratuito a importantes datos económicos, sociales y demográficos.
http://www.metabase.net/
  METABASE, integra muchas bibliotecas centroamericanas y sus res-
  pectivos catálogos.
http://historia.fcs.ucr.ac.cr/
  Escuela de Historia de la Universidad de Costa Rica, con dos publicaciones electrónicas, *Diálogos. Revista Electrónica de Historia* y *Cua-
  dernos Digitales*, y enlaces a otras unidades de investigación históri-
  cas y de ciencias sociales.
http://ccp.ucr.ac.cr/
  Centro Centroamericano de Población de la Universidad de Costa Rica, con importantes documentos y bases de datos demográficos para
  todo el istmo y, especialmente, para el caso costarricense.
http://www.estadonacion.or.cr/
  Proyecto Estado de la Nación, actualizado anualmente para propor-
  cionar un análisis de la situación económica, social, política, cultural,
  ambiental y de género de Costa Rica.
http://www.flacso.or.cr/
  Información sobre el trabajo y las publicaciones de FLACSO-Costa Rica, el más importante programa académico independiente del país.

Períodos antiguo y colonial

Corrales, Francisco, *Los primeros costarricenses*. San José, Museo Nacional, 2001.
Fonseca, Elizabeth, Alvarenga Patricia y Solórzano, Juan Carlos, *Costa Rica en el siglo XVIII*. San José, Editorial de la Universidad de Costa Rica, 2001.
Fonseca, Óscar, *Historia antigua de Costa Rica: surgimiento y caracteri-
  zación de la primera civilización costarricense*. San José, Editorial de
  la Universidad de Costa Rica, 1992.
Ibarra, Eugenia, *Las sociedades cacicales de Costa Rica (siglo XVI)*. San
  José, Editorial de la Universidad de Costa Rica, 1990.

Quirós, Claudia, *La era de la encomienda*. San José, Editorial de la Universidad de Costa Rica, 1990.

Legado colonial y expansión del café

Acuña, Víctor Hugo y Molina, Iván, *Historia económica y social de Costa Rica (1750-1950)*. San José, Editorial Porvenir, 1991.

Gudmundson, Lowell, *Costa Rica Before Coffee: Society and Economy on the Eve of the Export Boom*. Baton Rouge, Louisiana State University Press, 1986.

Hall, Carolyn, *El café y el desarrollo histórico geográfico de Costa Rica*, 3a. edición. San José, Editorial Costa Rica, 1982.

León, Jorge, *Evolución del comercio exterior y del transporte marítimo de Costa Rica 1821-1900*. San José, Editorial de la Universidad de Costa Rica, 1997.

Molina, Iván, *Costa Rica (1800-1850). El legado colonial y la génesis del capitalismo*. San José, Editorial de la Universidad de Costa Rica, 1991.

Samper, Mario, "Generations of Settlers: A Study of Rural Households and their Markets on the Costa Rican Frontier, 1850-1935". Ph. D., University of California, 1987 (Westview Press publicó una versión de esta investigación en 1990).

Política y democracia antes de 1950

Acuña, Víctor Hugo, *Conflicto y reforma en Costa Rica: 1940-1949*. San José, Editorial Universidad Estatal a Distancia, 1991.

Lehoucq, Fabrice, "The Origins of Democracy in Costa Rica in Comparative Perspective". Ph. D., Duke University, 1992.

Lehoucq, Fabrice y Molina, Iván, *Stuffing the Ballot Box. Fraud, Electoral Reform, and Democratization in Costa Rica*. New York, Cambridge University Press, 2002.

Miller, Eugene D., *A Holy Alliance? The Church and the Left in Costa Rica, 1932-1948*. Armonk, M. E. Sharpe, 1996.

Molina, Iván, *Demoperfectocracia. La democracia pre-reformada en Costa Rica (1885-1948)*. Heredia, Editorial Universidad Nacional, 2005.

Muñoz, Mercedes, *El Estado y la abolición del ejército en Costa Rica, 1914-1949*. San José, Editorial Porvenir, 1990.

Salazar, Jorge Mario, *Crisis liberal y Estado reformista. Análisis político electoral, 1914-1949*. San José, Editorial de la Universidad de Costa Rica, 1995.

Salazar, Orlando, *El apogeo de la República liberal en Costa Rica, 1870-1914*. San José, Editorial de la Universidad de Costa Rica, 1990.

Soto, Gustavo Adolfo, *La Iglesia costarricense y la cuestión social*. San José, Editorial Universidad Estatal a Distancia, 1985.

Vargas, Claudio, *El liberalismo, la Iglesia y el Estado en Costa Rica*. San José, Alma Máter y Guayacán, 1991.

Vargas, Hugo, *El sistema electoral en Costa Rica durante el siglo XIX*. San José, Editorial de la Universidad de Costa Rica, 2005.

Historia social y cultural entre 1750 y 1950

Fumero, Patricia, *Teatro, público y Estado en San José (1880-1914)*. San José, Editorial de la Universidad de Costa Rica, 1996.

Gil, José Daniel, *El culto a la Virgen de los Ángeles (1824-1935). Una aproximación a la mentalidad religiosa en Costa Rica*. Alajuela, Museo Histórico Cultural Juan Santamaría, 2004.

Molina, Iván y Palmer, Steven, eds., *El paso del cometa. Estado, política social y culturas populares en Costa Rica (1800-1950)*, 2a. edición. San José, Editorial Universidad Estatal a Distancia, 2005.

Molina, Iván y Palmer, Steven, eds., *Héroes al gusto y libros de moda. Sociedad y cambio cultural en Costa Rica (1750-1900)*, 2a. edición. San José, Editorial Universidad Estatal a Distancia, 2004.

Morales, Gerardo, *Cultura oligárquica y nueva intelectualidad en Costa Rica: 1880-1914*. Heredia, Editorial Universidad Nacional, 1993.

Moya, Arnaldo, *Comerciantes y damas principales de Cartago: vida cotidiana (1750-1820)*. Cartago, Editorial Cultural Cartaginesa, 1998.

Murillo, Carmen, *Identidades de hierro y humo. La construcción del Ferrocarril al Atlántico 1870-1890*. San José, Editorial Porvenir, 1995.

Oliva, Mario, *Artesanos y obreros costarricenses, 1880-1914*. San José, Editorial Costa Rica, 1985.

Quesada, Florencia, *En el barrio Amón. Arquitectura, familia y sociabilidad del primer residencial de la elite urbana de San José, 1900-1935*. San José, Editorial de la Universidad de Costa Rica, 2001.

Urbina, Chester, *Costa Rica y el deporte (1873-1921). Un estudio acerca del origen del fútbol y la construcción de un deporte nacional*. Heredia, Editorial Universidad Nacional, 2001.

Vargas, María Clara, *De las fanfarrias a las salas de concierto. Música en Costa Rica (1840-1940)*. San José, Editorial de la Universidad de Costa Rica, 2004.

Vega, Patricia, *De la imprenta al periódico. Los inicios de la comunicación impresa en Costa Rica 1821-1850*. San José, Editorial Porvenir, 1995.

Política social antes de 1950

Malavassi, Ana Paulina, *Entre la marginalidad social y los orígenes de la salud pública: leprosos, curanderos y facultativos en el Valle Central de Costa Rica (1784-1845)*. San José, Editorial de la Universidad de Costa Rica, 2003.

Molina, Iván, *La aclimatación imposible. Cuestión social y anticomunismo en Costa Rica (1931-1948)*. San José, Editorial Costa Rica, 2007.

Molina, Iván y Palmer, Steven, *Educando a Costa Rica. Alfabetización popular, formación docente y género (1880-1950)*, 2a. edición. San José, Editorial Universidad Estatal a Distancia, 2003.

Palmer, Steven, *From Popular Medicine to Medical Populism. Doctors, Healers, and Public Power in Costa Rica, 1800-1940*. Durham, Duke University Press, 2003.

Viales, Ronny, ed., *Pobreza e historia en Costa Rica. Determinantes estructurales y representaciones sociales del siglo XVIII a 1950*. San José, Editorial de la Universidad de Costa Rica, 2005.

Género e historia de las mujeres

González, Alfonso, *Vida cotidiana en la Costa Rica del siglo XIX: un estudio psicogenético*. San José, Editorial de la Universidad de Costa Rica, 1997.

Mora, Virginia, *Rompiendo mitos y forjando historia. Mujeres urbanas y relaciones de género en Costa Rica a inicios del siglo XX*. Alajuela, Museo Histórico Cultural Juan Santamaría, 2003.

Rodríguez, Eugenia, *Divorcio y violencia de pareja en Costa Rica (1800-1950)*. Heredia, Editorial Universidad Nacional, 2006.

Rodríguez, Eugenia, ed., *Mujeres, género e historia en América Central durante los siglos XVIII, XIX y XX*. San José, UNIFEM y Plumsock Mesoamerican Studies, 2002.

Rodríguez, Eugenia, *Hijas novias y esposas. Familia, matrimonio y violencia doméstica en el Valle Central de Costa Rica (1750-1850)*. Heredia, Editorial Universidad Nacional, 2000.

Rodríguez, Eugenia, ed., *Entre silencios y voces. Género e historia en América Central (1750-1990)*. San José, Editorial Porvenir y Centro Nacional para el Desarrollo de la Mujer y la Familia, 1997.

Sandoval, Carlos, *Fuera de juego. Fútbol, identidades nacionales y masculinidades*. San José, Editorial de la Universidad de Costa Rica, 2006.

Schifter, Jacobo y Madrigal, Johnny, *Las gavetas sexuales del costarricense y el riesgo de infección con el VIH*. San José, Imediex, 1996.

Nación y nacionalismo

Díaz, David, "La fiesta de la independencia en Costa Rica, 1821-1921". Tesis de Maestría en Historia, Universidad de Costa Rica, 2001.

Hayden, Bridget A., *Salvadorans in Costa Rica. Displaced Lives*. Tucson, University of Arizona Press, 2003.

Molina, Iván, *Costarricense por dicha. Identidad nacional y cambio cultural en Costa Rica durante los siglos XIX y XX*. San José, Editorial de la Universidad de Costa Rica, 2002.

Molina, Iván y Enríquez, Francisco, eds., *Fin de siglo XIX e identidad nacional en México y Centroamérica*. Alajuela, Museo Histórico Cultural Juan Santamaría, 2000.

Pakkasvirta, Jussi, *¿Un continente, una nación? Intelectuales latinoamericanos, comunidad política y las revistas culturales en Costa Rica y en el Perú (1919-1930)*. Helsinki, Academia Scientiarum Fennica, 1997.

Palmer, Steven, "A Liberal Discipline: Inventing Nations in Guatemala and Costa Rica 1870-1900". Ph. D., Columbia University, 1990.

Sandoval, Carlos, *Threatening Others: Nicaraguans and the Formation of National Identities in Costa Rica*. Athens, Ohio University Press, 2004.

Soto, Ronald, "Inmigración e identidad nacional en Costa Rica. 1904-1942. Los 'otros' reafirman el 'nosotros'". Tesis de Licenciatura en Historia, Universidad de Costa Rica, 1998.

Taracena, Arturo y Piel, Jean, eds., *Identidades nacionales y Estado moderno en Centroamérica*. San José, Editorial de la Universidad de Costa Rica, 1995.

Arte y literatura

Mosby, Dorothy E., *Place, Language and Identity in Afro-Costa Rican Literature*. Columbia, University of Missouri Press, 2003.

Quesada, Álvaro, *Breve historia de la literatura costarricense*. San José, Editorial Porvenir, 2000.

Quesada, Álvaro, *Uno y los otros. Identidad y literatura en Costa Rica 1890-1940*. San José, Editorial de la Universidad de Costa Rica, 1998.

Rojas, Margarita y Ovares, Flora, *100 años de literatura costarricense*. San José, Farben-Norma, 1995.

Sharman, Russell, "With the Vision They See: Identity and Aesthetic Experience in Puerto Limón, Costa Rica". Ph. D., Oxford University, 1999.

Zavaleta, Eugenia, *Las exposiciones de artes plásticas en Costa Rica (1928-1937)*. San José, Editorial de la Universidad de Costa Rica, 2004.

Zavaleta, Eugenia, *Los inicios del arte abstracto en Costa Rica 1958-1971*. San José, Museo de Arte Costarricense, 1994.

Historia regional

Bourgois, Philippe, *Ethnicity at Work: Divided Labor on a Central American Banana Plantation*. Baltimore, The Johns Hopkins University Press, 1989.

Buska, Soili, "'Marimba por tí me muero'. Region and Nation in Costa Rica, 1824-1939". Ph. D., Indiana University, 2006.

Chomsky, Aviva, *West Indian Workers and the United Fruit Company in Costa Rica, 1870-1940*. Baton Rouge, Louisiana State University Press, 1996.

Edelman, Marc, *The Logic of the Latifundio: The Large Estates of Northwestern Costa Rica Since the Late Nineteenth Century*. Stanford, Stanford University Press, 1992.

Harpelle, Ronald N., *The West Indian Workers and the United Fruit Company in Costa Rica since the Late Nineteenth Century*. Montreal, McGill-Queens University Press, 2001.

Palmer, Paula, *"What Happen": A Folk History of Costa Rica's Talamanca Coast*. San José, Editorama, 1993.

Putnam, Lara, *The Company They Kept: Migrants and the Politics of Gender in Caribbean Costa Rica 1870-1960*. Chapel Hill, University of North Carolina Press, 2002.

Viales, Ronny, *Después del enclave 1927-1950: un estudio de la región atlántica costarricense*. San José, Editorial de la Universidad de Costa Rica y Museo Nacional, 1998.

De 1950 al presente

Alvarenga, Patricia, *De vecinos a ciudadanos. Movimientos comunales y luchas cívicas en la historia contemporánea de Costa Rica*. San José, Editorial de la Universidad de Costa Rica y Editorial Universidad Nacional, 2005.

Bowman, Kirk, *Militarization, Democracy, and Development: The Perils of Praetorianism in Latin America*. University Park, The Pennsylvania State University Press, 2002.

Clark, Mary A., *Gradual Economic Reform in Latin America: The Costa Rica Experience*. Albany, State University of New York Press, 2001.

Cuevas, Rafael, *El punto sobre la i. Políticas culturales en Costa Rica (1948-1990)*. San José, Ministerio de Cultura, Juventud y Deportes, 1995.

Edelman, Marc, *Peasants against Globalization: Rural Social Movements in Costa Rica*. Stanford, Stanford University Press, 1999.

González, Alfonso, *Mujeres y hombres de la posguerra costarricense (1950-1960)*. San José, Editorial de la Universidad de Costa Rica, 2005.

González, Alfonso y Solís, Manuel, *Entre el desarraigo y el despojo... Costa Rica en el fin de siglo*. San José, Editorial de la Universidad de Costa Rica, 2001.

Hall, Carolyn, *Costa Rica: una interpretación geográfica con perspectiva histórica*. San José, Editorial Costa Rica, 1983.

Lehoucq, Fabrice, *Lucha electoral y sistema político en Costa Rica 1948-1998*. San José, Editorial Porvenir, 1997.

Mesa-Lago, Carmelo, et al., *Market, Socialist, and Mixed Economies: Comparative Policy and Performance: Chile, Cuba, and Costa Rica*. Baltimore, Johns Hopkins University Press, 2000.

Opazo, Andrés, *Costa Rica: la Iglesia católica y el orden social*. San José, Departamento Ecuménico de Investigaciones, 1987.

Programa Estado de la Nación, *Estado de la nación en desarrollo humano sostenible*, 1-11. San José, Programa Estado de la Nación, 1994-2005.

Raventós, Ciska, et al., *Abstencionistas en Costa Rica. ¿Quiénes son y por qué no votan?* San José, Editorial de la Universidad de Costa Rica, 2005.

Rodríguez, Carlos, *Tierra de labriegos. Los campesinos en Costa Rica desde 1950*. San José, FLACSO, 1993.

Rosero, Luis, ed., *Costa Rica a la luz del Censo del 2000*. San José, Centro Centroamericano de Población, 2004.

Rovira, Jorge, ed., *La democracia de Costa Rica ante el siglo XXI*. San José, Editorial de la Universidad de Costa Rica, 2001.

Rovira, Jorge, *Costa Rica en los años '80*. San José, Editorial Porvenir, 1987.

Rovira, Jorge, *Estado y política económica en Costa Rica, 1948-1970*. San José, Editorial Porvenir, 1982.

Sandoval, Carlos, *Sueños y sudores en la vida cotidiana. Trabajadores y trabajadoras de la maquila y la construcción en Costa Rica*. San José, Editorial de la Universidad de Costa Rica, 1997.

Wilson, Bruce M., *Costa Rica: Politics, Economics, and Democracy*. Boulder, Lynne Rienner, 1998.

ILUSTRACIONES

ÍNDICE

LOS AUTORES

Steven Palmer es Canada Research Chair in History of International Health y profesor asociado del Departamento de Historia de la Universidad de Windsor (Ontario). Además, es autor de la obra *From Popular Medicine to Medical Populism: Doctors, Healers y Public Power in Costa Rica, 1800-1940*.

Iván Molina es profesor en la Escuela de Historia e investigador en el Centro de Investigación en Identidad y Cultura Latinoamericanas (CII-CLA), ambos pertenecientes a la Universidad de Costa Rica. Entre sus libros figuran *La estela de la pluma. Cultura impresa e intelectuales en Centroamérica durante los siglos XIX y XX* y *La miel de los mudos y otros cuentos ticos de ciencia ficción*.

Los libros de Molina y Palmer han sido reseñados en importantes revistas académicas, como *Hispanic American Historical Review*, *The American Historical Review*, *Journal of Latin American Studies*, *The Americas*, *Annales. Histoire, Sciences Sociales*, *Mesoamérica*, *Colonial Latin American Historical Review*, *Bulletin of Latin American Research* y *The New York Review of Books*.

¿Preguntas y comentarios sobre este libro?
Escriba a:

Steven Palmer
Department of History
University of Windsor
401 Sunset
Windsor, ON
Canada N9B 3P4
spalmer@uwindsor.ca

Iván Molina
Escuela de Historia
Universidad de Costa Rica
San José, Costa Rica
América Central
ivanm@cariari.ucr.ac.cr

Palmer y Molina son coautores de *Educando a Costa Rica. Alfabetización popular, formación docente y género (1880-1950)*; *La voluntad radiante. Cultura impresa, magia y medicina en Costa Rica (1897-1932)*; y *Costa Rica del siglo XX al XXI. Historia de una sociedad*. También son los coeditores de *Héroes al gusto y libros de moda. Sociedad y cambio cultural en Costa Rica (1750-1900)*; *El paso del cometa. Estado, política social y culturas populares en Costa Rica (1800-1950)*; y *The Costa Rica Reader. History, Culture, Politics*.